ニュートン新書

パラドックスとは何か

マーガレット・カオンゾ＝著
高橋昌一郎＝監訳　増田千苗＝訳

私のお気に入りのパラドックス解決者であり、
甥であるアンソニーとアンドリューへ

目次

第2章 パラドックスの解決策

第3章 パラドックスを見失ったのか？

序文

私がこの本を書き始めたのは15年近く前のことでした。当時、まず、うそつきのパラドックス（「私が今言っていることは偽である」とする主張から生じるパラドックス）のような有名なパラドックスへの対処法について書くことから始めました。博士論文で砂山のパラドックスをテーマとし、砂山として分類されるために必要な正確な砂粒の数を考察したのですが、計画では、そこで扱った対処法を本書の中で掘り下げていくつもりでした。本の構成として思い描いていたのは、パラドックスを主要なカテゴリー、すなわち、意味論的、認識論的、論理的パラドックスなどに分けて、それぞれを私の好む対処法を用いながら解決していくという方法でした。しかし、執筆中、さまざまな問題、回り道、偶発的な発見に遭遇することになりました。初めて壁にぶつかったのは、パラドックス自体の性質について再考する必要があることがわかったときで、偶然、科学哲学の分野で議論されていた信念についての新しい考え方（そして主観確率の使用）がこの再考に役立つと気づきました。また、私は、パラドックスの起源についての一般的な見解が誤解を招くものであることにも気づきました。私はパラドックスの多くはエレアのゼノンが論じ始めたものであり、アリストテレスがその解決策を提示したと考えていましたが、これはそれよりはるか昔に起源をさかのぼることのできるパラドックスの歴史を誤って伝えるものです。そして最も重要なのは、パラドックス自体に焦点を当てるという使い古された手法よりも、パラドックスを解く戦略に焦点を当てる手法のほうが独創的で興味深いものであることに気づいたことです。そこで、私は方針を変え、読者と一緒に、パラドックスの性質の再考や、パラドックスに対して提示された解決策についての再考（こちらのほうがより重要です）を試みることにしました。哲学やその他の分野で標準的に用いられている非常に難解なパズルを解こうとするような試みが、結局は袋小路へ導いてしまうことも多く、パラドックスに対して最小限のアプローチを取ることが最も安全な手法であり、この限定された「無干渉的」アプローチは決して無意味ではないことを示すことができればと願っています。より難解なパラドックスを解くことができるかどうかはさておき、パラドックスの解決策からは学ぶべきことが多くあります。

この試みを始める最初のきっかけとなったのは、私の指導教官であったスティーブン・シファーの著書『*Two Issues of Vagueness*』（１９９９年）と『*The Things We Mean*』（２００３年）からの2、3の短い文章でした。シファーは、パラドックスに対する標準的な解決策がどれほどの成功を収めたかについて疑問を抱き始め、パラドックスに対する解決策について、「よい解決策」および「不幸な解決策」と呼ばれる区分を設けました。シファーと彼の著作は、この本と私の哲学的思考全般に多大な影響を及ぼしてきました。また、バージニア工科大学のデボラ・マヨが主催する、誤謬と統計学的推論をテーマとした全米人文科学基金の夏期セミナーに参加する幸運にも恵まれました。ここで、私は初めてベイズ主義や主観的な信念の度合いの使用について学びました。マヨの講義から、私は科学的仮説に対する確証および反証の点でベイズ主義に限界があることを確信する一方、ベイズ主義者のモデルはパラドックスを理解し、また、なぜ一部のパラドックスがその他のパラドックスと比較して、より逆説的なのかを理解するのに非常に役立つことに気づきました。その他にも、論文への反応、特に私が友人であるジェームズ・フリエルと共に座長を務めたロングアイランド哲学協会（ＬＩＰＳ）で得られた反応も、本書に影響を与えています。それらの反応は各章に取り入れられています。アントン・アルターマンとグレン・ステイティルは、論文について有益な批評をし、そのおかげで本書ははるかによいものになったと思います。私の同僚で友人であるジョセフ・フィロノウィッチは、彼の文章スタイル、教育法、生き方全体を通して、使い古された哲学的な専門用語を避けることや、私自身の考えや教育法を実地で試してみることを教えてくれました。一般の読者にこの本を楽しんでいただけるとしたら、それはフィロノウィッチの「哲学上の厳密さと親しみやすさは相入れないものではない」という主張の賜物です。私は、ブルックリンのロングアイランド大学の哲学科で６年間、学科長を務め、また、現在は同学科で共同学科長を務めていますが、そこでのすばらしい同僚、クリスタナ・アルプ、クリス・アラウージョ、マイケル・ペリアス、エイミー・ロビンソン、マクシム・ヴァクス、ソフィア・ウォン他の同僚たちにも感謝を捧げたいと思います。また、作家のゲーリー・アルバレッツリ、ヘレン・デュベルスタイン、ジョーン・デュラント、エバ・コーリッシュ、エディス・コネッキー、エバ・ホワイトをはじめとする、私の敬愛する編集研究会のメンバーは、議論を興味深いものにするために、良質で明確な文章を書くことに細心の注意を払うよう進言してくれました。作家であり口述歴史学者であるゲーリー・アルバレッリと私は、マサチューセッツ州ケンブリッジにある彼の家に「こもって」、お互いの作品を批評し合いました。極めて抽象的な話においてさえ、天才的な聞き手である人物からインプットをもらえたこと、また、私が提示した「事実」に対し、彼が疑問を呈してくれたことは、大変ありがたいことでした。さらに、私の親友、ダナ・ラーナーはほぼ20年にわたり、絶えず私を励ましてくれています。この本に可能性を見い出し支持してくれた、マサチューセッツ工科大学出版局の極めて有能で献身的なフィリップ・ラフリンにも非常に感謝しています。3名の匿名の査読者の方々も非常に重要でありがたいフィードバックを提供してくれました。最後に、私のすべての努力を常に激励し支援してくれる家族について。母ローズマリー・カオンゾとの愛情あふれる記憶と、父アントニオ・カオンゾのうるさい小言（激励というべきか）のおかげで、私は困難な時期にもしっかり前へ進むことができました。そして、私の甥であり、パラドックスとパズルが大好きなアンソニーとアンドリューは、常に私に喜びとやる気を与えてくれる存在です。読者がこのパラドックスとその解決策にまつわる本を読むことで、私が得たのと同じくらいの喜びと豊かさを得られればと願っています。

序章

パラドックスは問題をはらんでいる?

イギリスの公共放送局ＢＢＣで放送されていたテレビドラマ『Paradox』で、イギリス人の天体物理学者が、爆発が起こり多くの人の命が奪われるという、未来の出来事を示す画像があると主張します。この画像を実際に目にした悩める刑事レベッカ・フリントは、この画像で示されている出来事が現実のものとならないよう行動を起こすことになります。しかし、仮にフリントが爆発を防ぐことに成功したら、この「未来」の画像は誤りということになるのでしょうか？　画像の中で予知された数々の爆発がまったく起こらなくなったら、たとえそれがフリントのおかげだとしても、その爆発の画像の信頼性をどのようにして証明すればいいのでしょうか？　時間の不可解な性質は、多くの哲学的パラドックスを生み出してきました。フリントが抱えたような、未来に関して予知されたことに基づき未来を変えるといった問題に加え、祖父のパラドックスという、過去に関連した問題もあります。このパラドックスは、ある人が時間をさかのぼって過去の世界に行き、自分の祖父が祖母に出会う前に祖父を殺すことが概念的に可能であるか、という問題に関連しています。それが可能なら、その本人が存在しないため、実行不可能に思われます。両親のうちのどちらかが生まれてこないのであれば、本人も生まれてこない。そのため、その人は時間をさかのぼって、祖母に出会う前に祖父を殺すことはできない、ということになります。

極めて広い解釈では、パラドックスには、難問、直観的に何か違うと感じさせるような意見または結論から、巧妙なだまし絵のようなものまで含まれます。パラドックス(Paradox)という言葉をインターネットで検索すると、M・C・エッシャーの複雑で非常に美しい版画、ガラス製の灰皿に「禁煙」マークがプリントされている写真、フラスコの底の水がたえず同じフラスコに注がれる「ボイルのフラスコ」の図(18ページ・図1)などが結果として表示されます。ウィキペディアには前述の祖父のパラドックスを含む200以上のパラドックスが掲載されています。リストに挙がっているパラドックスは、統計学、熱力学、経済学、生物学、そして論理学など、多様な分野にかかわるものです。では、それらをパラドックスたらしめているものは何なのでしょうか？

哲学者たちの間で、パラドックスを定義する正しい方法について完全に意見が一致しているわけではありませんが、有名な定義がいくつかあり、それぞれがパラドックスの重要な特徴を示しています。広く知られている定義の一つは、パラドックスとは、その

図1　ボイルのフラスコ

Wikimedia commons および http://www.lhup.edu/~dsimanek/museum/people/people.htm に掲載の画像。

一つひとつは正しく見えるが、組み合わせると互いに矛盾する命題の集合だとするものです（出典：ニコラス・レッシャー２００１年）。未来に起こる出来事を阻止しようとするフリントの問題を考えてみましょう。彼女の置かれた状況に関連する多くの命題がありますが、それらを「論点」と呼ぶことにしましょう。まず、第一に未来の爆発の画像が、未来に何が起こるかを予測する信頼に足る予測因子だとします。第二に、もしそうであるならば、その画像は正しいため、フリントが何をしても未来を変えることはできないように思えます。しかし、第三に、フ

極めて広い解釈では、
パラドックスには、
難問、直観的に何か違うと
感じさせるような意見または結論から、
巧妙なだまし絵のようなものまで
含まれます。

①
フリントのパラドックス

1. 未来の爆発の画像は正しい（仮定）。
2. 爆発に関して、フリントはどうすることもできない（1より導き出される）。
3. フリントには爆発を阻止するために行動する自由がある。
4. （爆発を阻止したとすると）未来の爆発の画像が正しくなかったことになる（3より導き出される。1とは矛盾）。

リントは未来の爆発を防ぐよう行動できる自由があると考えられます。そこで、第四に、仮にフリントが爆発を防ぐことに成功したとすると、その場合、未来の爆発の画像は正しくなかったことになります。第四の論点は、事実として仮定した第一の論点と矛盾していることに注意してください。画像が正しければ、爆発をどうすることもできません。しかし、フリントには行動の自由があるので、爆発を回避するための行動をとることができます。しかし、そうであれば、未来の画像は、未来を正しく予測していなかったことになります。各論点は、それ自体は問題ないように思えますが、それらが組み合わされると矛盾が生じるのです。

この例は、パラドックスというものには、少なくとも表面上はおかしいところがなさそうな主張の中に、ある種の矛盾が含まれているということを示しています。おそらくそのために、パラドックスをインターネットで検索すると「禁煙」マークがプリントされた灰皿の絵が表示されるのでしょう。別々に見れば、灰皿もそのマークも、まったく当たり前に日常生活の中で目にするものです。しかし、それを一つのものとしてまとめると、喫煙に使用する前提でつくられた物と、喫煙を禁止するマークとの間に矛盾が生じます。この灰皿のパラドックスや祖父のパラドックスでは、ともに矛盾が強調されています。ところが、矛盾をはらむ仮説の一つひとつには、とりたてておかしいところはありません。一見問題のない要素の中に矛盾が含まれている。これがパラドックスのアイデアの中心となります。

ほかの定義では、パラドックスに含まれる推論が強調されています。たとえば、一部の人は「パラドックスとは、正しそうに見える推論と、正しそうに見える前提で構成されているように思えるが、結論に明らかに誤りがある議論である」（出典：ジョン・レスリー・マッキー　1973年）とし、またある人は「パラドックスとは、正しそうに見える前提と、正しそうに見える推論から許容しがたい結論が引き出される議論である」（出典：リチャード・マーク・セインズブリー　2009年）としています。議論とは、ある主張（結論）がほかの主張（前提）によって裏づけられた推論から成り立っています。推論が正しければ、正しい前提は常に正しい結論を導き出します。しかし、パラドックスの場合は、正しい前提と正しい推論が明らかに矛盾した結論へとつながり、何かが間違っていたように見えます。たとえば、フリントのケースでは、未来の爆発の画像が正しいと仮定しましたが、彼女が爆発を阻止したとしたら、その画像は正しいものではなかったことになります。そのため、結論が前提と矛盾することになります。また、曖昧（あいまい）性を扱った、昔から存在する有名な砂山のパラドックスについて考えてみると、ハゲかハゲでないか、裕福か裕福でないかといった境界が曖昧な概念の場合、明らかに誤った結論が導かれることがあります。砂山のパラドックスは、②のような議論にまとめることができます。

砂山のパラドックスでは、1.と2.が前提で、3.が議論の結論です。頭に髪の毛が1本

②

砂山のパラドックス

1. 頭に髪の毛が１本もない人はハゲである。
2. 任意の数 n に対して、n 本の髪の毛が生えている人がハゲだとすると、(n+1) 本の髪の毛が生えている人はハゲである。
3. ゆえに、100 万本の髪の毛が生えている人はハゲである。

もない人はハゲであるとする最初の前提は、ハゲの典型的な例を示した文言です。ハゲとはどういう人を指すかといえば、髪の毛が可能な限り少ない（０本）人であるということから、この前提は明白な真実のように思われます。2.の前提は、最初は意味が取りづらいかもしれませんが、非常に直観的なものです。この前提は、髪の毛がたった1本生えているだけでは、ハゲかそうでないかの分類を変更するほどの有力な保証にはならないということを述べています。つまり、ある人の頭に髪の毛を1本つけ加えたところで、その人がハゲであることには変わりありません。人間の目には、1本の髪の毛をつけ加えてもたいして差がないように見えるため、いかなる原則に基づき区別したとしても、1本の髪の毛があるという事実に基づいて、ハゲかそうでないかの線引きができるとは考えられません。推論に関しては、砂山のパラドックスは単純明快です。最初の前提は、特定の本数（0）の髪の毛が生えている人はハゲであることを述べています。二つ目の前提は、すべての髪の毛の本数に言及し、任意の髪の毛の本数に対し髪の毛が1本増えただけでは、その人物がハゲかそうでないかの分類を変更するほどの有力な保証にはならないということを述べています。最初の前提で使用された数（0）が二つ目の前提で一般論に組み込まれ、繰り返されて、髪の毛が100万本生えている人はハゲである、という結論を導き出しているのです。ですから、言い換えれば、砂山のパラドックスは直観的にもっともらしい前提、明白に正しい推論、そして確実に誤りだとわかる、あるいは矛盾する結論をともなう議論といえます。また、これは、セインズブリーの定義によると、正しいことが明白な推論を使用し、抵抗なく受け入れられる前提（「髪の毛が0本生えている人はハゲである」、および「任意の数nに対して、髪の毛がn本生えている人がハゲだとすると、髪の毛が（n＋1）本生えている人はハゲである」）から、受け入れがたい結論（「髪の毛が

100万本生えている人はハゲである」）が導き出されたパラドックスだと考えることができます。そのため、この二つの定義はパラドックスのもう一つの重要な特徴1、つまり、正当な推論を使用して、正しそうに見える前提で推論すると、ときに予想外の奇妙な結論を導き出してしまうという特徴を強調しています。

パラドックスは推論、あるいは前提とした論点、または問題のパラドックスの根底にある基本概念に、ある種の問題があることを明らかにします。フリントのパラドックスでは、未来に関して予知された知識（未来の爆発の画像）をもってして未来はすでに確定しているといえるのか、という問題を示しています。砂山のパラドックスでは、ハゲ、強い、裕福といった曖昧な言葉を、曖昧さのない適切な方法で言い表すことは困難であり、髪の毛が何本であればハゲであるか、重りをどれだけ持ち上げることができれば強いのか、または、何枚のコインを持っていれば裕福といえるのかを正確に表すことには、あまり意味がありません。ハゲであることとハゲでないことには違いがあることは認めなければなりませんが、その違いを示すには、特定の本数の髪の毛が十分な境界になることはありません。重さや強さ、コインの枚数に関しても同様です。このような問題に直面すると、パラドックスのどこでゆがみが生じているのかを突き止めたいと思うでしょう。

哲学者、理論物理学者、経済学者、およびそのほかの理論家たちは、パラドックスの解決策を提示し、新しいパラドックスを生み出し、そしてパラドックスに対して提案された解決策を批判する、ということを生活の一部としています。ごく簡単な序論からフリント、祖父、そして砂山のパラドックスまで、あなたの心の中で自然に解決策が浮かんでくるかもしれません。たとえば、フリントのパラドックスの場合、未来の正しい画像というものはあり得ないと考えたかもしれません。または、未来はすでに確定していて、フリントが爆発を阻止するすべはないと考えたかもしれませんし、あるいはその両方かもしれません。また、祖父のパラドックスでは、時間をさかのぼる方法がないと考えたのではないでしょうか。

パラドックスを解決しようとするのは、ごく自然な反応であり、哲学の出現と同時に始まった、古くからの営みです。西洋哲学が産声をあげて間もない頃、論理学の「父」とされるアリストテレスは、パラドックスを研究し、解決しようと試みました。アリス

パラドックスは
推論、あるいは前提とした論点、
または問題のパラドックスの
根底にある基本概念に、
ある種の問題があることを
明らかにします。

トテレスにとって、パラドックスは欠陥を内包する議論であり、パラドックスを解決することは、その議論の欠陥を指摘することでした（出典：ウィリアム・ニール、マーサ・ニール　1962年）。彼が解決を試みた主なパラドックスとして、エレアのゼノンのパラドックスがあり、その空間、時間、運動についての議論が西洋哲学の歴史の中でも最古のパラドックスであると考えられています。その後、今日に至るまで、パラドックスとそれに対する解決策が生み出されてきました。本書の最終章に示されているように、パラドックスが生み出され、解決策が提案されるという一連のプロセスは、興味深く重要なものです。パラドックスを解決しようという試みから新たな科学が生じることも多く、その新たな科学で使用された概念が、新たなパラドックスを生み出します。

パラドックスはパズルのようなもので、面白いけれども、日常生活とは何のかかわりもないと思われがちですが、これこそ誤解というものであり、まるで見当違いな考えです。パラドックスは日々、情報源、新聞、宗教関連の文書、会話、日常生活の中で直面する現実的なジレンマの中に見い出すことができます。たとえば、この本の執筆中、

パラドックスは
日々、情報源、新聞、宗教関連の文書、
会話、日常生活の中で直面する
現実的なジレンマの中に
見い出すことができます。

ウォール・ストリート・ジャーナルに、毎年「世界最大のうそつきコンテスト」を開催するイギリスの小さな町、サントン・ブリッジについて論じた記事（出典：アリスター・マクドナルド　2011年）が掲載されました。その町はパラドックスにあふれているに違いありません。

また、本書を読み進めていくうちに、パラドックスの解決策は私たちの生活のほかの側面とも密接な関係があることをおわかりいただけるでしょう。たとえば、「真の度合い」を使用したファジー論理は、手書き文字認識プログラムのような、平凡であるけれども有用なものの基礎となっています。たとえば、手書きのaと手書きのuの間ともいえる曖昧に見える文字に対処する方法がなければ、そのようなプログラムは実用化しなかったでしょう。また、決定理論がなければ、公共政策を策定するうえで問題が生じます。パラドックスと解決策は、私たちが生きる世界の重要な一部なのです。

このアイデアは、私が十年ほど前に大英図書館で、第二次世界大戦の最中の1941年にジョン・カール・フリューゲルがロンドンの倫理協会の聴衆に対して行った講演「コンウェイ記念講演」の内容が収録された、ほこりをかぶった本を見つけ出したときに思い浮かびました。講演は次のような言葉で始まっています。「この講演は戦時中に行われるコンウェイ記念講演の6回目（全32回）となります。一年前から戦争は私たちの身近にせまり、実際非常に近いところまできているので、コンウェイ・ホールが現在もこうして建っており、私たちが今でもここに集う自由があることを幸せなことと感じます。というのも、いつ何時実際の戦闘が大音響と破壊的な喧騒をともなって私たちの周囲で勃発し、私たち自身や親しい大切な人たちの命、また、ここに暮らし、私たちが守ろうとしている伝統を確立した先人たちの作品やモニュメントを脅かしかねないことを知っているからです」（出典：フリューゲル　1941年）。これを読んで、私は「爆弾が落ちるかもしれないというのに、一体なぜこの人たちはロンドンの中心街に集まって講演を聞こうとしたのだろう」と思いました。講演の内容が当時の聴衆にとって非常に重要だったことは間違いありません。フリューゲルはさらに、次のように続けます「このようなときに、私たちの周囲で起こっている途方もない戦争について長時間、目をそむけるのは困難あるいは不可能です。ですから、この講演では、戦争について考えることを避けるのはやめることにしましょう」（1941年）。聴衆と講演者をひきつけたテーマは、戦争の逆説的性質です。具体的には、戦争のように明らかに不道徳なものが、なぜ戦闘中のグループ内で同僚に対する自己犠牲や寛大さといった印象的な道徳的資質を引き出すことができるのか、というテーマでした。「平和と戦争の道徳的パラドックス（The Moral Paradox of Peace and War）」と題された講演の中で、フリューゲルは、戦争は途方もなく破壊的であるのに、なぜ特定のグループ内に高い道徳的状況を引き出すのかを問いました。この問題は、聴衆が直接経験していたパラドックスであり、あのような非常時に講演に出席するよう聴衆を駆り立てたテーマだったに違いありません。そのパラドックスに対する多くの反応それ自体が、戦争は恐ろしいものだということと、それが慈悲深い英雄的な行為さえ引き出すものだということの間に想定される対立は存在しない、ということを示唆しています。どちらもまったく対立なく存在することができます。これは、私がのちほど「すべてよし（It's-All-Good）」として説明する反応です。しかし、１９４１年にロンドンのコンウェイ・ホールに集まった人々が心から悟ったことは、彼らが論じたパラドックスよりずっと深淵なものです。つまり、パラドックスは、私たちが最も大切にしているいくつかの信念の中の対立を際だたせるため、人間にとって重要なものだということです。パラドックスは、私たちが固く信じている信念の中に対立があることを明るみに出すことにより、私たちに回答をせまります。人間が理性に導かれて人生を送る存在ならば、自らが真実だと思う信念の中から生じるパラドックスに応えなければなりません。だからこそ、ほかの義務に先んじて緊迫した状況下でそうした講演に出席するということは、大変納得いくことだと私は考えます。そして、それこそが私たちがパラドックスと解決策を追求する中で、単なるパズル以上のものに取り組んでいる理由です。私たちはより思慮に富んだ、理性に導かれた人生と向き合っているのです。

次に続く章では、パラドックスについて考える新たな手法（第1章）と、どのようにしてそれらが生まれたか（第2章）、またパラドックスを解決する最も優れた手法（第3章）について見ていきます。重要な用語については、一般の読者の方は用語集をご参照いただければ、よくご理解いただけるものと思います。これから読んでいただくページの多くに、パラドックスの性質についての洞察と、それらに対して提案された解決策を検討する楽しさが詰まっています。

第1章

パラドックスと
その解決策を考える新しい方法

1　はじめに：パラドックスの基礎を成す直観

序章ですでにパラドックスを定義する三つの方法について論じました。つまり、(1)それぞれの論点が正しそうに見える、矛盾する論点の集合である（出典：ニコラス・レッシャー　2001年）、(2)正しそうに見える推論と正しそうに見える前提で構成されているように思えるが、結論に明らかに誤りがある議論である（出典：ジョン・レスリー・マッキー　1973年）、(3)正しそうに見える前提と正しそうに見える推論から、許容しがたい結論が引き出される議論である（出典：リチャード・マーク・セインズブリー　2009年）の三つです。これらの定義に何度「正しそうに見える」という言葉が登場するか、留意してください。画像や図の類いも含め、パラドックスという言葉を最も広く解釈したとしても、パラドックスには一見問題のない要素の中に対立が内包されています。パラドックスは、複数の常識的な考えが互いに対立することがあることを明らかにするとともに、完璧に正しそうに見える推論を用いても、最終的に矛盾や明らかな誤りに突き当たることを示唆しています。このため、パラドックスは私たちにものの見方を再考するようせまります。言い換えると、パラドックスは私たちが直観的に受け止めている世界についての理解が本当に正しいかどうかを問いかけているのです。パラドックスという用語は、古代ギリシャ語の「反対」、もしくは「超越」を意味する「パラ（παρά）」および「期待」または「意見」を意味する「ドクサ（δόξα）」に由来します。このギリシャの言葉は、パラドックスの反直観的性質を言い当てています。とすると、私たちが直観的に感じている世界こそ、まさしくパラドックスの中核を成すものといえるでしょう。

　まず、生物学から「栄養強化のパラドックス」と呼ばれる問題を取り上げてみましょう。捕食者の数について考えるとき、人は直観的に、その被食者の食物が豊かであるほど捕食者に有利に働くと思うでしょう。被食者の食物が多いということは、捕食者の食物が増えるということであり、ゆえに捕食者数も増えるはずです。しかし、実際には、時として逆のことが起こります（出典：マイケル・ローゼンバーグ　1971年）。たとえば、ある地域でウサギの食物が増え、ウサギの数がアンバランスなほど増えます。すると、たとえばオオカミのような捕食者の数は増えるけれども、オオカミの数が環境に耐えられないほど増えると、次は数の安定が失われます。ですから、ウサギの食物が増えることは実際にはオオカミの数に対する脅威になるというわけです。この例は、私たちの直観、つまり食物が多いほど被食者の数が増え、それは常に捕食者グループにとってはよいことである、という考えは誤りであることを示しています。少なくとも捕食者と被食者のケースでは、「より多い＝より多い」が常に成り立つわけではありません。栄養強化のパラドックスは、豊富さと栄養強化についての私たちの直観が実際に観測される事実と必ずしも一致しないことを示しています(1)。

栄養強化のパラドックスの中で、直観的にもっともらしいと思える仮定は、ほかの証拠と突き合わせてみると、予期せぬ結論を導きました。このため、動物の数に対してよいと思っている直観に疑問を投げかけなければならず、その結果、捕食者と被食者関係の新しいモデルが生み出されました（出典：ロバート・メイ　1972年）。ですから、最も基本的な直観に疑問を投げかけることで、基本的な観念に対する新しい思考法にたどり着き、皮肉にも、さらにそれが新たなパラドックスにつながることが少なくありません。

パラドックスは
私たちが直観的に受け止めている
世界についての理解が
本当に正しいかどうかを
問いかけているのです。

直観は、真実のように見えること、自然な精神的判断、特定の状況下で出るであろう意見、そして非推論的信念（出典：デービス・フロイドとスヴェン・アルヴィドソン1997年）など、さまざまに定義されてきました。そして最近では、認知科学者により、直観とは、新しい状況下でよく知っている要素の認知から生じる、瞬時の判断である（出典：ダニエル・カーネマン 2011年）と説明されています。私にとって、今ここで直観的にはっきりしているのは、自分がノートパソコンでタイピングしていること、殺人が不道徳であること、三角形には三つの辺があること、パソコンの画面のうしろから突き出ている灰色と黄褐色の物体が猫のココであることです。さらに、これらの事物に対する私の信念は極めて瞬間的なものであり、その信念をいくつかの仮定から推論する必要はありませんでした。それらは自然に、しかも思考することなく即座に私の心に浮かびました。しかし、直観について説明するのは簡単なことではありません。もしパラドックスの構成要素である直観を説明するだけでなく、あるパラドックスの一要素がどの程度直観的なものであるかを定量化する方法があれば、私たちはパラドックスの性質をよりよく理解できるでしょう。

2　主観確率の登場：物事を信じる度合いについて

　最近、科学哲学において、信念に関する新しい思考法が登場しました。その思考法によって、パラドックスの直観的性質に対する理解を深めることができます。ベイズ主義者として知られる科学哲学者グループは、科学的仮説が受け入れられるか、または受け入れられないかの程度を説明するために、主観確率と呼ばれるものを使用し始めました。主観確率とは、0が完全な不信、1が完全な確信、0・5はどちらでもない、0・7がかなり強い信念などのように、合理的な観察者が何かを信じる度合いのことです（42ページ表1参照）。

　信念の度合いに基づき考えることは、未来の不確定な事柄を扱う際には特に理にかなっています。たとえば、今現在、私は自分がオンラインで注文したプレゼントが友人の誕生日に間に合うように配達されると信じています。しかし、完全にそう確信しているわけではありません。なぜなら、オンラインストアはたいてい品物を期日通りに届け

表1　ある合理的信念を持つ人の信念の度合いの実例

信念の度合い	信念の実例
0.0	2＋2＝5と信じる
0.1	肉を食べることは道徳的に許容できると信じる
0.2	神の存在を信じる
0.3	破壊されてしまった自然環境を今でも完全に回復できると信じる
0.4	飼い犬が18歳まで生きると信じる
0.5	次のコイントスでは表が出ると信じる
0.6	アメリカ経済は改善すると信じる
0.7	ヒラリー・クリントンがまたアメリカ合衆国大統領に立候補すると信じる
0.8	5年後にはほとんどの本がデジタル化されると信じる
0.9	喫煙は健康に悪いと信じる
1.0	2＋2＝4と信じる

てくれるので、おそらく届くとは思うのですが、私が配達日を指定しなかったため、不確実な状態だからです。そのオンラインストア、郵送サービス、友人のビルで働く管理人などについて私が知っていることをふまえて考えると、そのプレゼントが友人の誕生日に到着するという私の主観確率は約０・８で

す。しかし、この数字はいくつかの要因によって上下します。たとえば、ひどい嵐がその地域を襲ったとしたら、私の主観確率は下がるでしょうし、品物が昨日出荷されたという電子メールが私に届けば、私の主観確率は上がります。そのときに提示される証拠に応じて、物事を信じる度合いは上がったり下がったりします。そして友人の誕生日当日に、私の主観確率は１の完全な確信まで上がるか、０の完全な不信にまで下がります。プレゼントがその日に間に合うように届いたかどうかが判明するからです。

主観確率とは呼ばれるものの、この確率は完全に主観的な尺度ではありません。信じている人本人が合理的であると仮定しているだけだからです。リチャード・ジェフリーは２００４年の著書でこのように述べています。「あなたの『主観』確率は気まぐれに何もないところから生じるものではありません。それは今までにあなたが得た情報や他人に対する情報について、あなたが感じていることをふまえた結果として、そうあるべきだとみなす判断なのです。たとえあなたが、それを何らかの意味で、人々全員が共有すべき判断であるとみなしていないとしても」。

合理的信念の度合いに関しては、ある程度変動する余地があるかもしれませんが、合理的信念を持つ人は、合理性の規則と手に入る情報による制約を受けます。たとえば、合理的信念を持つ人の、矛盾する命題に対する主観確率は1にはならないでしょう。その人が矛盾する命題に0・6を割り当てることもありません。人々が日常生活の中で、部分的に信じる事柄に対し、ある確率上の数を割り当てながら過ごしているとは思いませんが、彼らに何かについて、どの程度確信しているかを質問したとしたら、通常は、そうなる可能性がそうならない可能性より高いと思う（0・5以上）、ほぼそうなると思う（0・9）、と言ったり、そのほかの確率を示すことがあるでしょう。

主観確率を使用すると、あらゆるパラドックスの部分的な直観性、あるいはパラドックス全体の直観性さえも説明することができます。パラドックスの論点が直観的であるほど、その主観確率は高くなります。そして、矛盾する結論が出たとき、私たちはそのパラドックスのその部分の主観確率は必ず0になることを知っています。最も複雑なパラドックスの場合、前提の主観確率は非常に高く、結論には0またはそれよりわずかに高い数値が割り当てられます。ですから、主観確率を用いることでパラドックスの複雑さを評価することができます。試しに、異なる主観確率がどのように組み合わされるか

主観確率を使用すると、
あらゆるパラドックスの部分的な直観性、
あるいはパラドックス全体の直観性さえも
説明することができます。

調べてみましょう。私が友人のために注文したプレゼントが友人の誕生日に間に合うように届くと強く信じ（0・8）、かつ私の友人がそのプレゼントを気に入ってくれると強く信じているとしたら、この二つのことが両方起こる主観確率は、両方の信念の主観を合わせたものになります。というのは、二つの事柄が同時に起こる可能性は、一つの事柄が個別に起こる可能性よりも低いからです。二つの信念の組み合わせの主観確率はそれぞれの主観確率よりやや低くなり、最も適切な算出方法は、二つの確率をかけることです。[2] 二つの数字（0・9と0・8）をかけた数字は0・72になります。ですから、私のプレゼントがきちんと届けられ、気に入ってもらえる確率はかなり高いといえます。なぜここでかけ算を用いるのでしょうか？　どのように個々の信念の不確実性が合わさって、組み合わされた信念の中でより大きな不確実性を形成するのかを考慮する必要があり、何かを主観確率0・2で信じ、別のことを0・9で信じているとして、二つのうち一つの確率が非常に低いことをふまえると、その両方が事実となる主観確率は極めて低くなります。そしてかけ算こそ、この効果を具現化したものです。この信念の度合いについての考え方では、結果は0・2よりわずかに低い0・18です。非常に低い主観確率（０・２）を０・９などの完全な主観的確信より低い確率と合わせると、不確実性が加えられたことの説明として、０・２の確信度は必然的に下がります。

３　主観確率を使用してパラドックスを分析する

この章の最初の段落で述べた二番目の定義によると、パラドックスには正しそうに見える仮定と、明らかに正しい推論が含まれています。パラドックスのそれぞれの要素の直観性やパラドックス全体の複雑さは、主観確率を用いて算出できます。

これを行うために、まず、正しそうに見える前提と正しそうに見える[3]推論、そして明らかに誤りがある、あるいは矛盾した結論をともなう議論という定義に従いモデル化されたパラドックスに、私が逆説性評価と呼んでいるものを適用してみましょう。議論の逆説性評価は、(a)正しい前提の集合Pr（p1, …, pn）の主観確率、(b)妥当な推論の主観確率（Ｐｒｖ）、(c)誤った結論ｃ、つまり（１－Prc）から得られます。したがって、議論の逆説性評価をする際には、Ｐｒを主観確率、ｐを前提、ｖを推論の妥当性、ｃを

③

逆説性評価

逆説性 = Pr (p1, . . . , pn) × Prv × (1 − Prc)

結論とする、パラドックスの各要素の主観確率をかけた③のような長い式を用います。

ここで論じるパラドックスは議論であるため、前提の主観確率を含む、推論は正しくそして結論が誤っているパラドックス議論のすべての要素の主観確率を考慮に入れる必要があります。前提の主観確率が高いほど、その前提が真実であると考えられる可能性が高く、その前提はより「直観的な強度」を持つことになります。結論の確率と議論の妥当性が一定に保たれるので、前提の主観確率が高いほど、議論が逆説的である度合いが高くなります。たとえば、議論の前提が明らかに誤っている場合、最初からその前提に直観的なもっともらしさを感じないため、その議論はそれほど逆説的ではありません。たとえば、被食者の食物が多ければ被食者の数が増え、それゆえ捕食者にとって状況がよくなるとまったく思わなければ、栄養強化のパラドックスがそれほど深く逆説的であるとは思わないでしょう。被食者の食物が多ければ被食者が増え、それゆえ捕食者にとって状況がよくなると考えるからこそ、それと矛盾した結果が驚くべきこと、逆説的なことに思えるのです。これが、逆説性の定義において、単純に前提の主観確率のかけ算であるPr（p1，…，pn）を行う理由です。

関係する推論に関しては、推論が正しいことが明白に思えるほどパラドックスは複雑になります。たとえばレベッカ・フリントと未来の爆発の画像の問題を考えてみましょう。フリントに示された画像が妥当であるという仮定があり、彼女に自由意志があると推定すれば、矛盾を導き出すために非常に簡単な推論を使用できることは明らかです。もし画像が正しければ、爆発は起こるでしょうが、フリントが自由なら、爆発を阻止することができます。ですから、私たちが推定した⑴未来の爆発の画像は正しいという前提と、⑵フリントには未来に爆発が起こることを阻止しようと試みる自由があるという前提をふまえると、フリントは未来を変えることはできない（１より）、しかし未来を変えることができる（２より）ということになります。そして、この結論は矛盾しています。これが正しそうに見える推論の例です。議論における推論が単純明快であればあるほど、その議論が逆説的になる度合いは高くなります。たとえば、議論に誤謬（すなわち推論における誤り）があることを知っていたとしたら、その議論はそれほど複雑でも逆説的でもないでしょう。この定義によれば、真のパラドックスは推論がはっきりしている正しい議論です。推論が明白に正しければ正しいほど、議論はより逆説的になるのです。

考慮すべき最後の要素は、結論が誤っていることについての主観確率です。前述のフリントのパラドックスの例では、矛盾が生じました。矛盾に対して割り当てられる主観確率は0です。結論がおそらく本当だったとしたら、議論が逆説的だとは思わないでしょう。髪の毛が100万本生えている人はハゲであるという結論を受け入れたとすると、砂山のパラドックスはそれほど複雑とはいえません。しかし、問題は、その結論は誤りであると私たちが考えている点です。また、そう考えなかったとしても、ハゲの要件を満たすため髪の毛の本数をもっと多く仮定することができます。そのため、ほかの要因を一定に保った状態では、結論の主観確率が低いほど、その議論は逆説的になります。③の式を見ていただくと、確率の単純なかけ算を行っていますが、結論の確率は

1より低いことがわかります。定義の最後に（1－Prc）があるのは、結論の主観確率がどれだけ高いかではなく、どれだけ低いかを考慮に入れたいからです。そして、1から結論の主観的確率を引くことで、これが可能になります。

逆説性の式を用いて、あるパラドックスがどの程度直観的にもっともらしいかを判断する方法を知るため、いくつかのケースを検討してみましょう。たとえば、二つの前提がある議論で、それぞれの主観確率が０・５の場合、その前提の組み合わせ確率は０・25になります。仮に推論が議論の余地なく妥当だとすれば、その議論のＰｒｖの値を1とすることができ、結論の現実性が極めて低ければ、この値をたとえば０・２として、１－Prcは０・８です。総合的な逆説性評価は0.25×１×0.8＝0.2となり、前提の結合確率が極めて低いため、あまり高くありません。

序章で議論された砂山のパラドックスのような議論をする場合、議論には極めてもっともらしい前提がともなうことになります。最初の前提「頭に1本も髪の毛が生えていない人はハゲである」は概念的な真実に近く、確率1に値します。髪の毛を1本追加しても、ハゲであるかどうかに関しては違いがないという二つ目の前提も、同じように概念的に正しそうに見えますが、おそらくこの前提にはやや疑問の余地があります。私ならこの前提の確率は０・95とします。推論は単純明快で、Ｐｒｖは1になります。髪の毛が１００万本生えている人がハゲであるという結論は概念的にほぼ誤りであり、無限に増やすことができます。そこで、Ｐｒｃは０でなければならず、１－０は1です。したがって、１×0.95×１×（１－０）＝0.95となります。まとめると、この議論の逆説性評価は０・95であり、逆説性は大変高いといえます。このパラドックスのランクづけでは、砂山のパラドックスは極めて逆説的だということがわかります。

もちろん、すべての議論の逆説性評価がこのように高いわけではありません。何の問題もないことがわかっている議論を考察してみましょう。定義では、何の問題もはらまない議論の前提は正しく、その推論も妥当です。したがって、そのような議論では、前提の組み合わせ主観確率は1、妥当性の主観確率は1、結論の主観確率は1です。問題をはらまない議論の逆説性評価は、その結論ゆえに、常に0になります。その結論の主観確率は1であり、逆説性評価は式Pr（p 1, …, pn）×Prv×（１－Prc）により求められます。具体的な数字に当てはめると式は１×１×０となり、問題をはらまない議論の逆説性評価は０になります。問題をはらまない議論に限らず、結論が完全に正しい議論の逆説性評価は０です。完全に正しい結論をともなう議論はどのようなもっともらしい定義に対しても逆説性がないため、逆説性評価は０になります。さらにパラドックスには、議論に明らかに誤りである前提を使用することはできません。前提の主観確率が０の場合、結論や妥当性の主観確率にかかわらず、その議論の逆説性評価は０なのです。

このように逆説性評価を用いて、問題をはらまない議論や、明らかに誤った前提をともなう議論といった逆説性のない議論と、逆説性のあることがはっきりしているケースを区別することができます。しかし、このあとすぐにおわかりになるはずですが、逆説的なものと非逆説的なものを区別する際に固定された数字を用いるのは賢明ではありません。実際そうすることで、さらなるパラドックスに行き当たります。逆説性評価はどのパラドックスがほかのケースより逆説的であるかを決定し、明らかに逆説性のあるケースを識別するためのものです。逆説性が境界線上にあるケース（たとえば０・５から０・６の範囲にある議論）に関しては、逆説性評価は単にそのケースがパラドックスであるかどうかの境界線にあることを示し、それをより明確なケースから区別するだけ

④

論点の集合の逆説性

逆説性 = Pr (s1, s2, . . . , sn) × Pr (i)

です。

　ここまで、パラドックスは議論であるという前提で、パラドックスの定義を仮定してきました。仮にパラドックスを、それぞれが正しそうに見える互いに矛盾する論点の集合だと考えると、そのパラドックスがどれだけ直観的かを判断するのに別の式を用いることができます。この式は各論点のそれぞれの主観確率を、それらの論点が互いに矛盾しているという主観確率とともに組み合わせたものです。これは、上記④のように記号化することができます。Ｐｒはここでも主観確率を表し、それぞれのｓは集合内の個々の論点を表し、ｉは論点の集合に矛盾が生じているという主張を表しています。

　言い換えれば、逆説性は、その論点の集合の矛盾の確率とともに、それぞれの論点の主観確率がどれほど高いかで決定されます。

例として、うそつきのパラドックスという、別のパラドックスで考えてみることにしましょう。論点（Ｌ）「この文は偽である」について考えるとして、仮に「この文は偽である」という論点が正しいなら、論点が偽だというのは真だとわかります。というのは、その文はそれが偽であると述べているからです。そして、もし（Ｌ）が偽なら、論点は誤っていることになり、したがってその論点は真であることになります。つまり、（Ｌ）が真なら、それは偽であり、（Ｌ）が偽なら、それは真です。しかし、論点は真か、偽かのどちらかであるのに、その論点は真と偽の両方でなければならないことになり、矛盾しています。論点の集合は⑤（56ページ）のようになります。

Ｌの内容をふまえると、それぞれの論点の主観確率は高いでしょう。しかしＬが真であればそれは偽であることになり、Ｌが偽であればそれが真であることになるため、三つの論点が同時に真であるとすると、矛盾が生じます。そして、この矛盾は、Ｌは真でありかつ偽であってはならないと主張する論点３に反します。つまり、主観確率が高い三つの論点があるけれども、まとめると矛盾が生じるということになります。非常に高い値を式Pr（１×１×０・９）×Pr（１）に代入すると、０・９という非常に逆説

⑤

基本のうそつきのパラドックス

1. Lが真なら、Lは偽である。
2. Lが偽なら、Lは真である。
3. Lは真か偽かのどちらかであり、どちらでもあることはない。

性評価の高いパラドックスが得られます。このパラドックスが最も複雑な哲学的パラドックスの一つと考えられていることをふまえると、この結果には納得がいきます。

先に示したように、逆説性評価は議論がどの程度逆説的であるかを評価するのに使用することができます。またこれは、なぜ、あるパラドックスがほかのパラドックスよりも逆説的であるかを説明する手段にもなります。基本的なうそつきのパラドックスとそのパラドックスをさらに複雑にしたものを考えてみましょう。この複雑なパラドックスは疑念を差し挟む余地があまりない仮定をともなうので、より逆説的です。基本のうそつきのパラドックスの文「この文は偽である」はそれ自体が偽であることを断言しているので、それが真の場合は偽であり、それが偽の場合は真であることになります。しかし二分法の原則（すべての論点は真か偽のどちらかであるとする原則）と呼ばれる基本的な規則によると、すべての命題は真か偽かのどちらかということになります。ですから、どちらの真理値（真または偽）が割り当てられようと、逆の真理値が自動的に、やはりその文に割り当てられます。したがって、その文には両方の真理値が割り当てられることになります。

たった今述べた基本のうそつきのパラドックスと複雑なうそつきのパラドックスの唯一の違いは、複雑なほうの文が「この文は真ではない」であることです。二分法の原則を考慮しなければ、文は真でも偽でもないとして、基本のうそつきのパラドックスを解決することができます。しかし、複雑なうそつきのパラドックスは、すべての論点またはその否定が真であるとする排中律（はいちゅうりつ）のみを前提としています。二分法の原則は何らかの説明を加えることで否定することができますが、排中律のような論理的原則を矛盾を生じさせずに否定することは、はるかに困難です。そのため、基本のうそつきのパラドックスの文が真でも偽でもなく、無意味であると主張する人もいるかもしれませんが、複雑なうそつきのパラドックスの文を同じように扱うのは非常に難しいことです。同じ扱いをすると、その文が「真」でも「真ではない」ことも否定することになります。最初のケースでは「この文は偽である」という真を否定しても、文が無意味である、または不適切な構造である可能性があるため、文が偽であることにつながらないということができました。二つ目のケースでは「この文は真ではない」という事実を否定するとそれが真であると言っていることになってしまいます。

したがって、複雑なうそつきのパラドックスの逆説性評価は、基本のうそつきのパラドックスに比べて高くなるに違いありません。基本のうそつきのパラドックスと、複雑なうそつきのパラドックスのほかの要素はすべて疑問の余地がない、つまり、ほかの前提には主観確率1、そして、それぞれのパラドックスの妥当性にも主観確率1が割り当てられます。そしてどちらの結論も明らかに偽なので、1－Prcは1－0、つまり1となります。このケースでは、二つのパラドックスを比較した場合、逆説性評価における唯一の違いは、基本的なうそつきのパラドックスの文と、複雑なうそつきのパラドックスの文の主観確率です。たとえば、基本のうそつきのパラドックスの文に主観確率0・

90が割り当てられ、複雑なうそつきのパラドックスの文に０・95が割り当てられた場合、複雑なうそつきのパラドックスの文の逆説性評価は０・95となり、基本のうそつきのパラドックスの文の逆説性評価は０・90となります。このように、複雑なうそつきのパラドックスの論点は、砂山のパラドックスと同じレベルの逆説性を持ち、そのどちらも基本のうそつきのパラドックスより逆説性が高いことになります。

　したがって、主観確率の観点から直観について考えることで、直観の概念をより明確にすれば、あるものがほかのものより逆説的であるかを説明することができます。逆説性評価はそのための手段となります。うそつきのパラドックスでは、基本のものも複雑なものも、栄養強化のパラドックスより逆説性が高いことがわかります。これはどちらのうそつきのパラドックスも主観確率の高い要素を持っているからです。対照的に、栄養強化のパラドックスの結論は、驚くべきことではありますが、どちらのうそつきのパラドックスの要素よりも確率が低いため、比較すると、このパラドックスはうそつきのパラドックスより逆説的ではないことがわかります（60ページ表2を参照）。

表2　パラドックスの実例とおおよその逆説性評価

パラドックス	逆説性評価
栄養強化	0.07
うそつき、基本	0.9
うそつき、複雑	0.95
砂山	0.95

4　主観確率とパラドックスの解決策

解決策は、パラドックスの要素の主観確率の観点から得られます。パラドックスを解決する方法はたくさんありますが、ほとんどの解決策は、パラドックスの一要素を取り上げて、その主観確率を下げるやり方です。たとえば、多くの哲学者は砂山のパラドックスを、髪の毛を1本加えても、ハゲであるかそうでないかの大きな違いにはならない（任意の数をnとして↓nに対して、髪の毛がn本生えている人がハゲだとすると、髪の毛が〔n＋1〕本生えている人はハゲである）という前提が誤りである、または非常に誤解を招きやすいものであることを示すことによって解決しようとしてきました。

砂山のパラドックスの自称解決者は、よくこの前提（帰納的推論と呼ばれることもある）は正しくないこと、また1本の髪の毛が違いになるということを示そうとします。たとえばティモシー・ウィリアムソンは、すべての論点は真か偽かのどちらかだとする二分法の原則は正しく、そのため、1本から１００万本までの範囲の連続の中に、1本の髪の毛がハゲかそうでないかを分ける転換点がどこかにあるのだと主張しています（１９９４年）。その数（ここではｎとします）に達した時点で、「髪の毛がｎ本生えている人はハゲである」および「髪の毛がn+1本生えている人はハゲである」という論点は誤りになります。ウィリアムソンは、この主張はすべての論点は真または偽であるという前提に基づくと考えています。このウィリアムソンのプロジェクトは、なぜそうであり得るのか、また1本の髪の毛を加えても、ハゲであるという状態を変えることはないという主張の真実性に対する私たちの直観がなぜ誤りなのかを証明するためのものです。ウィリアムソンは、パラドックスのこの要素についての主観確率を下げるために、ハゲからハゲでない状態になる転換点が明確ではないため、1本の髪の毛ではハゲているかどうかに違いをもたらさないように見えるだけだと言います。自分の能力が限られているために髪の毛の本数によるハゲかそうでないかの転換点がどこにあるのか指摘できないからといって、転換点が存在しない、ということにはなりません。実際に、二分法の原則は、転換点は存在するということを示しています。言い換えれば、ハゲかそうでないかの転換点についての私たちの無知を、転換点はないということと混同しているのです。ウィリアムソンがこのプロジェクトに成功したら、砂山のパラドックスの二つ目の前提の主観確率は低くなるでしょう。

しかしウィリアムソンが成功するかどうかは別問題として、重要なのは、彼のパラドックスへの対処法がパラドックスの一要素を取り上げ、パラドックスのその要素に誤って高い主観確率が割り当てられていることを示すことによって、その要素の主観確率を低めようとしている点です。

別の例として、これから起こることがわかっている未来の爆発を阻止しようとするフリントの問題を考えてみましょう。先ほど、未来の爆発の画像が正しいことと、フリントがその未来の爆発を阻止することができるということが両立するのかという部分に対立があることを確認しました。このパラドックスを解決する試みの一つとして、フリントは未来の爆発を阻止する力があるように見えるけれども、もし爆発の画像が正しいのなら、フリントがどれほど努力しても未来の爆発は必ず起こると主張することです。未来はすでに確定しているので、何者も未来に起こることを止めることはできません。画像が本当に正確なのであれば、フリントの行為は実は、爆発を引き起こす行為である可能性さえあります。ですから、このパラドックスは、フリントの未来の爆発を阻止する自由と未来の画像の正確性の間に横たわる対立を、最初の論点「フリントには爆発を阻止する自由がある」を除外することによって解消することができます。フリントにあたかも出来事を阻止する自由があるように見えるだけで、その想定上の自由は幻想にすぎないと主張する人がいるかもしれません。したがって、このパラドックスの、フリントは未来の爆発を阻止することができると主張する部分の主観確率は低くなります。

今、論じられている手法（すなわち、主観確率の使用）でパラドックスに対処することによって得られる興味深い結論の一つは、パラドックスの本質は逆説的に示すこともできるということです。砂山のパラドックスをモデルにした⑥（64ページ）の議論は、パラドックスそのものについてのパラドックスであり、より高次元なパラドックス

⑥
逆説的パラドックス

1. 逆説性評価が０の議論は逆説的ではない。
2. 任意の数 n に対して、逆説性評価が０の議論は逆説的ではないとすると、逆説性評価が（n＋0.001）の議論は逆説的ではない。
3. 逆説性評価が１の議論は逆説的ではない。

です。

上記の議論の逆説性は極めて高いといえます。砂山のパラドックスがそうであったように、どちらの前提も正しそうに見え、議論の推論は単純明快で、結論は、逆説性の定義によると概念的に誤りです。こうした議論は、パラドックスの概念そのものが逆説性からまぬがれ得ないということを示しています。

5 結論

パラドックスの基礎を成すものとして直観を取り上げ、主観確率を使って直観を分析することで逆説性評価を導き出し、それにより、あるパラドックスがなぜほかのパラドックスより複雑であるのかを説明する方法が分かりました。また、ある問題をパラドックスたらしめるのに必要な前提を明確にする方法もわかりました。さらに、パラドックスに対する解決策はパラドックスの一要素を取り上げてそのパラドックスの主観確率を下げることであると考えられるということも確認しました。ここまでで、パラドックスの基礎を成す直観についてかなり理解できたことと思います。次に、パラドックスのさまざまな解決策を見ていきましょう。

第2章

パラドックスの解決策

1　イントロダクション：直観の再教育としての解決策

自分がゲーム番組に出場していると想像してください。司会者があなたに三つの閉じたドアを示し、一つのドアの向こうには賞品の新車があり、他の二つのドアの向こうにはヤギ（ハズレ）がいると伝えます。そのうえで、あなたはドアを一つ選ぶよう言われます。あなたがドア1を選んだら、司会者（ほかの出場者に対しても同じですが、司会者は賞品が隠されているドア番号を知っています）はほかのドア3を開けヤギを見せます。それからあなたに、ドア1ではなくドア2を選び直すチャンスを与えます。あなたはドアを選び直すべきでしょうか？　そうする利点はあるでしょうか？　この質問をすると、ほとんどの人はドア1の選択を変えないのと、ドア2を選び直すのとでは、賞品を獲得できる可能性は同じだと言います。最初の選択をしたときは、車を獲得する可能性は3分の1だったけれども、今は、ドア1でもドア2でもチャンスは2分の1なのだから、選び直しても意味はないと。ところが実際は、選び直しに関する私たちの一般的な直観は間違っていることがわかります。実は、ドアを選び直すことで、あなたは車を獲得する可能性をかなり高めることができるのです。

　どうしてそうなるのか、確認するために、今度はあなたがゲーム番組の司会者で、車の位置を知っていると想像してください。最初に出場者が正解のドアを選んだ場合、あなたはほかの二つのドアのうち一つを出場者に見せ、選択を変更するチャンスを与えます。しかし、実際に出場者が選択を変更する可能性はどれくらいでしょう？　最初に出場者が正解のドアを選ぶ確率は３分の１なので、可能性は３分の１です。つまり、出場者が不正解のドアを選んだ可能性は３分の２です。もしそうであれば、車は残った二つのドアのどちらかにあることになります。そして、車の位置を知っている司会者であるあなたは、ヤギのいるドアだけを開ける必要があります。あなたがそのヤギがいるドアを開けられのは、そのドアだけだったはずだからです。このため、出場者は元のドアの選択を変えないままでいるよりも、変えたほうが車を獲得できる可能性が極めて高くなります。

　この思考実験は、有名なゲーム番組の司会者の名前をとってモンティ・ホール・パラドックス（70ページ図２）と呼ばれることもあり、弱めのパラドックスのいくつかが、

図2　モンティ・ホール・パラドックス

画像の出典：『Zen and the Art of Programming』http://program mingzen.com/2009/01/01/monte-carlo-simulation-of-the-monty-hall-problem-in-ruby-and-python/

どのように解決されるかをうまく示しています（出典：マイケル・クラーク　２００７年）。第1章で論じた栄養強化のパラドックスのように、このパラドックスは私たちの持つ直観、つまりこの場合は確率を扱ったものであり、私たちの直観が誤解を招くものであることを示しています。そうであろうと期待しているることが、実は正しくはないことを示すことにより、私たちは自分の確率に関する直観を「再教育」しました。モンティ・ホールのパラドックスでは、この再教育を、その状況における司会者の選択を見ることで行いました。それは司会者の選択により、ヤギがいる残りのドアが明らかになった可能性が高いこと、そして、残ったドアに選択を変えることで、賞品獲得の可能性が高まることを示すことによってです。このように、反直観的結論が正しいことを示すことによって直観を再教育するのは、パラドックスを解決する標準的な手法といえます。

パラドックスに関する直観を再教育するには、別の方法もあります。それは、パラドックスへ至る、まさにその概念が矛盾していることを示すという方法です。この方法の例を、床屋のパラドックスに対する標準的な解決策を検討することによって示します。シチリア島の山の中に床屋が一人しかいない田舎町があり、彼の仕事は、自分でひげをそらない町の男性全員のひげをそることだと想像してみてください。その床屋は自分で自分のひげをそるでしょうか？　もし、彼が自分でひげをそるのなら、彼は自分でひげをそる人のひげはそらないので、自分のひげをそらないことになります。また、もし彼が自分のひげをそらないなら、彼の仕事は自分でひげをそらない人のひげをそることなので、自分のひげをそることになります。このパラドックスに対処する一般的な考え方の一つは、そんな床屋はあり得ないということです。そういう床屋がいるかもしれないと思う私たちの直観は変化し、そのうえでさらに考えてみると、私たちがそのパラドックスの一部に対して持つ信念の度合いが低くなり始めます。

床屋やゲーム番組での賞品獲得の可能性についての直観を再教育することで、パラドックスから抜け出す方法が見つかります。あなたはすでに、直観、またはある状況下で「私たちが言うであろうこと」について考える便利な方法は、主観確率と呼ばれる信念の度合いを使うことであると学びました。あなたは、信念のうちの一つに対する主観確率が高い、すなわち1に近いとき、合理的信念はより強いということをすでに知っています。信念が0・2といった低い主観確率であるときには信じているとはいえず、疑いがあります。そして、信念の主観確率が、完全な不信（0）と完全な確信（1）の中間点である0・5のとき、信じてもいないし疑ってもいません。パラドックスを解決することとは、賞品獲得の可能性や、自分でひげをそらない男性全員のひげをそる床屋といったことについて、自分の直観が正しいと合理的に信じる度合いを下げることです。主観確率は、合理的な思考ができる人物が信じることで成り立つので、解決策は、パラドックスの当該部分について、信念の度合いを下げるための合理的な根拠の提供を試みます。この直観の「再教育」では、私たちはいわば自分自身の直観を学校に送り直すわけですが、この再教育はさまざまな方法で行うことができます。

表３（75ページ）は、パラドックス解決のさまざまな戦略を示しています。ここでは、パラドックスを分析する戦略の意味で、「解決策のタイプ」という用語を使用しています。二つの理論が同じパラドックスや異なるパラドックスに対し、異なる解決策を提示する場合がありますが、これらの二つの解決策はそのパラドックスを分析するうえで同じ戦略を用いる場合があるため、それぞれが同じ解決策の一部といえます。詳しくは後述しますが、たとえばエレアのゼノンとマイケル・ダメットは、どちらもパラドックスに対して「潔く結果に向き合う」手法を取っています。ゼノンは彼が生みだした空間と運動のパラドックスに対する解決策は提供できないと主張し、ダメットは砂山のパラドックスに許容可能な解決策はないと主張しました。彼らは異なるパラドックスを扱っていますが、パラドックスを解決するのに同じ一般的な戦略を使用しています。両者とも、そのパラドックスは解決できないと言っているのです。

パラドックスを解決するためのこれらの戦略をそれぞれ詳しく見ていきましょう。あなたは戦略を見ていく中で、この解決策のタイプの分類法、または表そのものに不自然な要素があると疑うかもしれません。もしそうなら、あなたは正しいといえます。いくつかの解決策は、解決策のタイプの境界部分にあります。そして、フリントのパラドックスのような一部のパラドックスが、時間の性質に関するものとしてみなされるだけでなく、意思の自由に関するパラドックスだともみなされるのと同様、解決策も一つのタイプに完全に収まらない場合があるのです。

パラドックスの解決に利用できるあらゆる理論体系を細かく分析するのは、一冊の本ではとても無理ですが、より有望な理論体系をいくつか選び、それらがより難解なパラドックスに解決策をもたらすかを確認するのは有益なことです。ここでは、ツェルメロ＝フレンケルの集合論、ベイズ主義、度合いの理論およびファジー論理、意思決定論および矛盾許容論理など、さまざまな分野の理論体系を取り上げます。これらの理論体系はそれ自体が興味深いものであり、今日の科学、数学、公共政策において重要な役割を果たしています。たとえばベイズ主義は科学者が収集した証拠について考察する方法に

表３　解決策のタイプの分類法（パラドックスの解決戦略）

解決策のタイプ	説明	例
先制攻撃：逆説的概念を否定する	根本的に、パラドックスの中心的な概念に欠陥があるため、それに対する私たちの直観にかかわらず、そのパラドックスは問題がないとする主張。	リチャード・マーク・セインズブリーの床屋のパラドックスの説明
異質なものを除外する：パラドックスの中の欠陥のある論点を洗い出す	パラドックスの正しそうに見える部分が誤りであることが判明したとする主張。	ティモシー・ウィリアムソンの砂山のパラドックスに対する解決策
すべてよしとする：明確な矛盾を否定する	相互に矛盾して見える論点の集合が実はすべて同時に正しいとする主張。あるいは、パラドックスを議論として考えると、結論は正しいとする主張。	現代確率論によるモンティ・ホール・パラドックスの解決策
到達不可能：パラドックスの推論に欠陥があることを示す	パラドックスの成り立ちにかかわる推論に欠陥があることを示す。	度合いを理論的に論じることによる砂山のパラドックスの解決策
迂回する：パラドックスを受け入れるが、代替の概念を提案する	パラドックスをパラドックスたらしめている概念に、ある種の初歩的な欠陥があるとし、パラドックスを生じさせないよう、その概念の代替の解釈を提案する。	アルフレッド・タルスキーによるうそつきのパラドックスの解決策
潔く結果に向き合う：代替の概念を提案せずにパラドックスを受け入れる	パラドックスをパラドックスたらしめている概念に、ある種の初歩的な欠陥があるとしながら、許容可能な代替の概念は提案できないと主張。	ゼノンによる彼自身のパラドックスの解決策

影響を与えています。ツェルメロ＝フレンケルの集合論は、物の集合について私たちが考える際の、最善の方法を具現化しています。ファジー論理はさまざまな分野、たとえば、コンピューターによる署名のパターン認識などに活用されています。そして意思決定論は政府、研究者、そのほかの人々の活動に重大な影響を及ぼしています。

2　解決策タイプ1：先制攻撃、あるいは逆説的実体への疑問

リチャード・マーク・セインズブリーは、床屋のパラドックス（シチリアの田舎町の、自分でひげをそらない男性すべてのひげをそる床屋に関するもの）に対する一般的な解決策を次のように要約しています。

許容できないのは、そのような床屋、つまり自分のひげをそらない場合にだけ、自分自身のひげをそる床屋がいるとする仮定である。この話は、許容できるように聞こえる。私たちの心がシチリア島の山々という設定にやすやすと乗ってしまうか

らである。しかし、結果がどうなるかを見れば、この話は本当のはずがないと気づく。この話は許容できない。その許容できない部分が山々や田舎といった設定で薄っぺらにごまかされているだけなので、これは深いパラドックスとはいえないであろう。（２００９年）

セインズブリーにとっては、私たちのその床屋に対する直観が間違っていることになります。なぜなら、私たちは、自分でひげをそらない町の男性全員のひげをそる床屋のようなものが存在し得ると、うまく信じこまされているからです。そのような床屋が存在し得るという仮定が問題であることを容易に指摘できるため、床屋の逆説性評価はかなり低いはずだということがわかるでしょう。

また、フリント刑事と未来の爆発を防ぐジレンマについて考えてみましょう。彼女は未来の出来事を正確に表したという画像を見せられます。しかし、彼女が未来の爆発を阻止した場合、その画像が正しかったことをどのようにして証明するのでしょう？　この逆説的状況に対処する方法の一つは、未来の出来事を表した画像の存在を否定することです。ある人は、この画像は、起こることそのものではなく、起こりそうなことを示しているのだと言うかもしれません。未来の完全に正確な予言の存在を否定すれば、彼女は爆発を阻止することもでき、さらに画像の予知力をある程度認めることができます。

この種の解決策は論点、集合といった抽象的概念をともなうパラドックスへの対処にさまざまな形で適用され、提起された抽象的実体は、無意味であるか、自己矛盾しているると主張します。たとえば、基本のうそつきのパラドックスの論点、「この文は偽である」は無意味であり、したがって真でも偽でもないという理由で否定されています。この文をともかく欠陥があるとして却下する際、この戦略はあらかじめ手を打って、この基本のうそつきのパラドックスが生じるのを阻止します。

理論体系がパラドックスにどのような先制攻撃を加えるのかを確認するために、ツェルメロ＝フレンケルの集合論と、ラッセルのパラドックスへの対処法を見てみましょう。

２・１　パラドックスに対する先制攻撃の例：ツェルメロ＝フレンケルの集合論によるラッセルのパラドックスに対する解決策

１９０２年、著名なドイツの論理学者ゴットロープ・フレーゲは、バートランド・ラッセルから、現在「ラッセルのパラドックス」として知られているものが書かれた手紙を受けとり、次のような返事を出しました。

あなたがその矛盾を発見したことは、私にとって非常に大きな驚きでした。仰天したといえるほどです。私が算術を構築しようとしている土台を揺るがすものだからです。私の規則Ⅴはどうやら間違っているようです（中略）。私はその問題についてよく考えなければなりません。またそれは、規則Ⅴが破れたことにより、私の算術の土台だけでなく、唯一の可能な算術の基礎が消滅しそうに見えるため、より深刻なことだと感じています（中略）。いずれにしても、あなたの発見はすばらしいものです。最初は歓迎されないかもしれませんが、おそらく論理学における大きな前進につながるでしょう。（出典：ジャン・ファン・ハイエノールト　１９６７年）

フレーゲがラッセルへの返信の中で言及した「規則V」とは、伝統的な「素朴な」集合論の基本原理であり、集合を非公式に定義する集合理論です。その原則は、「無制限の包括原理」として知られています。この原理によると、たとえその集合が空集合であっても、すべての属性はその属性を満たす集合を持っています。たとえば、赤であることは属性であり、この属性に該当する集合、つまり、赤いものの集合が存在します。集合が何かについてのこの初期の基本的な考え方のもとでは、何かが属性、言い換えると赤であること、数であること、素数であること、犬であることなど、それが実際の潜在的な特徴を指す属性である限り、それに対応する集合が存在します。そして、この属性に対応するものが実際に何もなくても、対応する集合が存在するという条件は満たされます。ニューヨークの現在の王であるという属性を誰も示していなかったとしても(ドナルド・トランプは異議を唱えるかもしれませんが)、この属性に対応する集合が存在します。それは空集合です。属性がある限り、それに対応する集合があります。この論点が「無制限の包括原理」および、フレーゲの「規則V」です。

フレーゲがラッセルに対して示した反応の原因となった「矛盾」とは、逆説的集合R

⑦

ラッセルの逆説的集合Ｒ

Ｒ：それ自体を要素として含まないすべての集合の集合

（⑦）でした。これは「自身を要素として含まないすべての集合の集合」である属性に対する集合ですが、問題があります。Ｒが集合Ｒの要素だとすると、Ｒはそれ自体を要素として含まない集合の要素ですが、そうするとＲは集合Ｒの要素ではなくなります。そしてＲが集合Ｒの要素でないのならば、Ｒはその集合の要素となるのに必要な属性を持っていることになります。ですから、Ｒは集合Ｒの要素となります。

　ここで、Ｒに何か欠陥があると言ってみてはどうでしょう？それもよいでしょうが、この単純明快なパラドックスに対する先制攻撃の問題は、原則として、要素として他の集合を含む集合に何の問題もないということです。二つの要素の集合の集合が次の例です：({{1,2},{a, b},{0, 11},{2, 5},...}。また、すべての集合の集合など、一部の集合はそれ自体を要素として含むことがある一方で、それ自体を要素として含まない集合もあります。すべてのカップの集合は一つのカップではないので、それ自体を要素として含みません。しかし、すべての集合の集合は、集合としての属性を持っているので、それはそれ自体を含みます。集合Rも集合自体から構成されています。具体的には、集合Rを要素として含まない集合です。この集合の要素はカップの集合です。カップの集合は一つのカップというよりは、一つの集合であるため、それはそれ自体を要素に含まない集合と考えられます。バラの集合は一本のバラではなく、それ自体を要素として含まない集合の中にあります。ですから、Rに欠陥があるというのはよい戦略かもしれませんが、この戦略の問題は、Rの何が正しくないのか、Rに欠陥があると認める素朴理論について述べることです。この集合リストは進むにつれて、抽象化のレベルが上がっていきます。最も基本的な形式の集合、つまり物の集合、この場合は四つのカップから始めます。それから、数の集合、次に集合の集合、そして最後に特定の属性を持つ集合の集合に移動します。ラッセルの集合Rは、⑧の7番目の集合です。

今日でもいまだに標準となっている[1]、ツェルメロ＝フレンケルの集合論（ZF）は、ラッセルのパラドックスを解く方法を教えてくれます。基本的な戦略は、あらゆる属性

⑧

集合のサンプルリスト

1. 四つのカップの集合
{カップ１、カップ２、カップ３、カップ４}
2. 自然数の集合、すなわち｛１、２、３、…｝
3. ３より大きい自然数の集合、すなわち
{４、５、６、…}
4. 二つの要素を含む集合の集合、すなわち
{{a、b}、{１、２}、{101、102}、…}
5. すべての集合の集合、すなわち
{{a、b、c}、{0、１、２、３}、
{カップ１、カップ２、カップ３、カップ４}…}
6. それ自体を要素として含む集合の集合、すなわち、{一つよりも多い要素を持つすべての集合の集合、二つより多い要素を持つすべての集合の集合、…}
7. それ自体を要素として含まない集合の集合、すなわち、{カップの集合、バラの集合、要素が二つ未満の集合の集合、…}

に対して、その属性に当てはまるすべてのものの集合が存在することを示す、無制限の包括原理を取り除くことです。集合として数えられるものを決定するこの方法によって、集合とは何か、そしてそれらがどのように構成されるのかについての基本的直観を変えるのです。ZFは、あらゆる集合およびあらゆる定義可能な属性に対し、その属性に当てはまる特定の集合の要素すべての下位集合が存在すると仮定します。このアプローチのもとでは、属性から始め、それに対応する集合が存在するという主張はしません。そうではなく、集合と属性から始め、それからこの集合と属性には、その属性に当てはまる集合の要素すべての下位集合が存在すると主張します。これらの違いはどこにあるのでしょうか？　あなたはそれを素朴集合論のトップダウンアプローチとZFのボトムアップアプローチの違いと考えるかもしれません。属性から始めてその属性に当てはまるものを見つけるのではなく、まず個々のものから始めて、特定の属性に当てはまる集合をつくります。ZFによると、Rは構成できないものであり、それについて、すべての集合の集合を構成することもできません。集合を構成し、特定の集合のどの下位集合が属性を満たしているかと主張することで、ボトムアップアプローチを使用しているためです。

ＺＦは、問題の「要素としてそれ自体を含まないすべての集合の集合」を除外する集合構成の規則で、ラッセルのパラドックスに「先制攻撃」を加えます。それがどのように行われるかを詳細に知るには、より詳しく理論を理解する必要があります。

ＺＦは公理的集合論です。その理論はある「公理」、すなわち、理論体系内でそれ以上論証することなく真だと仮定する根本的な主張から始まります。ＺＦには、理論体系内に論証抜きで定義された「根本的な概念」も含まれています。ＺＦにより定義された根本概念は「整礎的集合」の概念です。ＺＦの場合、この集合は遺伝的集合、つまり集合のすべての要素がそれ自体の集合であるだけでなく、その要素もすべてが集合です。遺伝的集合では、要素の集合はいわば延々と続きます。またＺＦには記号∈で表される「集合の一員」という根本的な関係も含まれています。a∈bは、aはbの要素である、またはaはbに含まれる、と読むことができます。ＺＦにおいて、この記号はほかの一階述語論理の記号とともに使用されます。

ＺＦの公理、特に制限つき内包公理スキーム[2]により、私たちは集合Ｒを許容できない集合について理解することができ、そのためにパラドックスを避けられることがわかります。これらの公理をいくつか見ていきましょう。最初の公理である、外延性の公理は、ある二つの集合について、それらが同じ要素を持つ場合は同等であるとします。二つ目の公理、正則性の公理は、空ではない集合Aに、Aの要素を持たない要素Bを少なくとも一つ含むことを示します。別の言い方をすると、空でないすべての集合はその集合と「交わらない」要素を一つ含むといえます。なぜこのことに言及するのでしょうか？　つまり、空でない集合Aに対し、Aの要素であるBが存在しなければならず、AとBは、Bのすべての要素がAに含まれているわけではないという点で区別されていなければなりません。BがAの要素であることをふまえると、Bの要素であるもの（これをCとします）がAの要素でないことを不思議に思うかもしれません。しかし、BはAの要素である集合なので、厳密に言えば、CはAの要素ではないということを覚えておいてください。この公理の帰結の一つは、Aがそれ自体の要素になることはできないということです。ラッセルのパラドックスに対しては、この公理は重要です。この公理は集合と、集合に含まれるものとの間に強力な線引きをしています。集合とその要素の間に厳密な階層が保たれているので、集合は同時に要素になることができないのです。

ＺＦの公理スキームはラッセルのパラドックスでも重要な意味を持ちます。「制限つき内包公理スキーム」は、その集合の要素を特徴づける（または特徴づけない）任意の集合と任意の属性をふまえると、その属性に当てはまる要素すべてを含む集合の下位集合が存在すると主張します。たとえば、｛赤、12、c、青｝という集合xと、色という属性を考えます。この集合には色という属性に当てはまる下位集合｛赤、青｝が存在します。自然数｛12｝やピエロ（空集合）など、この集合のほかの属性の下位集合がほかにもあります。ですから、この公理スキームの基本的ポイントは、集合の任意の定義可能な下位クラスはそれ自体が集合だという点です。ラッセルのパラドックスにおいて、ＺＦのもとでは属性は集合を決定しないので、この点は重要です。代わりに、「所与の集合」と「所与の属性」があり、あるものは属性を満たし、あるものは満たさないことになります。

この理論によると、要素にそれ自体を含まないすべての集合の集合Ｒは存在しないので、パラドックスは解決されます。しかし、集合Rを構成できないようにして、パラドックスを回避することにより、ZFのアプローチではいくつかのやっかいな結果が生じます。たとえば、すべての集合の集合をつくる方法はありません。しかしそのような集合はあり得ないでしょうか？　また、すべての基数（すなわち、集合の規模を表す数字）の集合はどうでしょうか？　この集合はZFではつくることができません。より一般的に言うと、任意の属性が集合をより厳密に決定するという素朴な概念は、集合に関する一般的な直観により近いように見えます。属性を満たす下位クラスである項目の集合という追加は、見ようによってはパラドックスを回避するためのその場しのぎのやり方のように思えます。ですから、パラドックスに対する多くの解決策と同様に、パラドックスを解決するつもりのその理論が悩ましい結果につながってしまうのです。

2・2　先制攻撃という解決策の種類の一般的な分析

パラドックスを解決するための先制攻撃手法は、パラドックスにつながる概念そのものに疑問を投げかけることによって、そのような概念があり得るという主観確率を下げる手法です。結果として、そのパラドックスの仮定に結びついた主観確率も低くなります。この種の解決策は、パラドックスを引き起こす実体が容易に放棄されるか、またはオリジナルの概念をほとんど損なうことなく修正できる場合に限り有効です。世界は自分自身のひげをそらないすべての男性のひげをそる床屋など気にしないかもしれませんが、集合論は数学だけでなく、私たちが周囲の世界をとりまとめる際にも重要な意味を持ちます。集合を構成する概念に根本的な欠陥があったとしたら、集合を使用することと、そしておそらく実体の集合についての私たちの考え方でさえ、間違っているかもしれません。ですから、ツェルメロ＝フレンケルの理論のような解決策が、逆説的集合Rを否定するに当たり、集合の根本的概念を十分に保てないのであれば、その解決策は不適切とみなさなければなりません。

したがって、パラドックスに至る実体の意味や一貫性を否定することによって解決可能なパラドックスは、通常、極めて弱いパラドックスです。その実体がそのように簡単に却下されてしまうならば、そのパラドックスは私たちが最も深いところで信じている有用な概念に疑問を投げかけないでしょう。

3　解決策タイプ2：「異質なものを除外する」アプローチ、あるいは欠陥のある仮定の指摘

パラドックスの定義の一つは、それを「正しそうに見える前提(仮定)、明確に正しい推論、そしてはっきりした誤り、あるいは矛盾する結論をともなう議論」です。正しい前提に基づく正しい推論は、正しい結論に結びつくはずなので、私たちはパラドックスによって、結論の元となった前提に問題があるのではないかと考えさせられることになります。それゆえ、パラドックスを解決する極めて一般的な方法は、これらの前提の一つを選び、実際にはそれは間違っていると示すことです。この方法は私たちがパラドックスを仮定、議論、明らかに正しい前提から導き出された誤った結論の集合としてとらえるか、「パラドックス」という用語に対するほかの妥当な定義でとらえるかにかかわらず、パラドックスに対する多くの解決策に組み込まれています。以下はその一例です。

正しい前提に基づく正しい推論は、
正しい結論に結びつくはずなので、
私たちはパラドックスによって、
結論の元となった前提に
問題があるのではないかと
考えさせられることになります。

3・1　抜き打ち試験

　ある日の授業中、教師が次の週のある曜日の正午に抜き打ち試験（表4）をすると発表します。教師の発表に対し、ある学生はこれはあり得ないと判断します。試験が仮に金曜日にあるとしたら、ほかのすべての可能な曜日が排除されるため、木曜日の正午までに、試験が金曜日に行われることがわかります。そのため金曜日は除外されます。また木曜日に試験が行われるとしたら、金曜日はすでに除外されているため、木曜日が最後の可能な試験日となり、最終的にはこれもわかってしまうでしょう。ここまで来ると、水曜日や、月曜も含めたその週のほかの曜日にも同じことがいえます。月曜日が最後に残された選択肢ですが、月曜日に試験があるのであれば、月曜日以外の曜日すべてがすでに排除されていることを考えると、その試験は抜き打ちではありません。ですから抜き打ち試験は存在し得ないはずです。このように推論し、その学生は試験の準備をしないでいたところ、なんと、その学生の予想を完全に裏切って、次の週の水曜日の正午に試験が行われました。なぜこうなったのでしょう？　学生の考えの何が間違っていたのでしょう？

表４　抜き打ち試験

可能な試験日	抜き打ち試験の曜日として除外すべき理由
金曜日	試験をするための最後の可能な曜日で、もし金曜日に試験を行えば、その試験は抜き打ちではなくなる。
木曜日	金曜日が除外されているので、木曜日が試験が行われる可能性のある最後の曜日ということになる。しかし、金曜日は排除されているので、木曜日に試験を行えば、その試験は抜き打ちではなくなる。
水曜日	金曜日と木曜日が除外されているので、水曜日が試験が行われる可能性のある最後の曜日ということになる。しかし、金曜日と木曜日は排除されているので、水曜日に試験を行えば、その試験は抜き打ちテストではなくなる。
火曜日	金曜日と木曜日と水曜日が除外されているので、火曜日が試験が行われる可能性のある最後の曜日ということになる。しかし、金曜日と木曜日と水曜日は排除されているので、火曜日に試験を行えば、その試験は抜き打ちではなくなる。
月曜日	これで、月曜日が試験が行われる可能性のある唯一の曜日となったが、そうだとすれば、月曜日に試験を行えば、その試験は抜き打ちではなくなる。

　試験が行われる曜日を発表してはいないものの、次の週に試験を行うと教師が発表したことを考えると、教師の発表それ自体が逆説的に思えるかもしれません。「次の週に抜き打ち試験をします。そして、抜き打ち試験をすることを今発表してい

ます」ということで、少なくともいくらかの心構えができ、あなたが試験は実施し得ないと判断した生徒でない限り、試験は完全な抜き打ちではなくなります。このパラドックスに対する一つの解決策は、その学生の考えが、試験が実施されるまで試験日がわからない、という特定の解釈を「抜き打ち試験」の前提としていることです。これは抜き打ちという言葉に対する極めて強い解釈です。教師の発表を解釈する別の方法は、試験は最後の選択肢が唯一の選択肢になるまで確定できない曜日に実施される、という解釈です。この前提を変更すると、試験日として金曜日を除外することはできず、同じように次に除外されていた木曜日、水曜日などを除外することもできません。それゆえ、パラドックスを深める元となった前提に疑問が投げかけられます。同様に、抜き打ち試験とは、教師の発表を聞いても学生には実施する曜日がわからない試験、という意味で言っていると解釈することもできるかもしれません。

「異質なものを除外する」パラドックス解決策のより徹底的なものとして、ベイズ主義によるデュエム＝クワインのパラドックスの解決策を考察していきます。この解決策は、特に私たちに関係があります。私たちは、ベイズ主義における重要なアイデアである主観確率（信念の度合い）をパラドックスの分析に用いているからです。次のセクションで説明するように、ベイズ主義者は主観確率の考え方をベイズの定理と併用して、科学的な確認に関する重要な問題を解決するために使用しています。

3・2　時計職人、医者、科学者：ベイズ主義とデュエム＝クワインのパラドックス

ピエール・デュエムとウィラード・クワインは科学的仮説検証の「仮説演繹法」（96ページ⑨）として従来から知られていたモデルについて、問題を提起しました。この従来のモデルによると、科学的仮説は、観察可能な結果を演繹して、次にこの結果が実際に正しいかを経験的に観察することで検証されます。つまり、Hが仮説を表すとして、→は続いて起こることが結果であることを意味し、eは次の仮説の証拠を表します。

この科学的検証モデルでは、論理的帰結eは、仮説Hから導き出され、次にeが観察されます。eが確認されないことが判明した場合には、このモデルによると、仮説Hは偽であることが示されます。この推論規則はモーダストレンスと呼ばれます。以下が推論の種類の大まかな例です。私が科学者で、私の仮説Hはコーヒーを飲むとが

⑨

仮説演繹法

1. H → e
2. e は偽である
3. ゆえに、H は偽である

んになる、というものだと仮定します。私の仮説の論理的帰結は、同じ病歴と習慣を持つ人々のグループを、コーヒーを飲む人と飲まない人のグループに分けた場合、コーヒーを飲む人はコーヒーを飲まない人に比べてがんの発生率がかなり高いだろう、という仮説になります。この場合のeは、コーヒーを飲む人のがんの発生率がかなり高くなるという主張です。仮説を検証し、そのような大きな差はないことを私が発見するとします。科学的検証の伝統的な仮説演繹法では、この証拠はコーヒーを飲むとがんになるというのは誤りであることを決定的に証明したことになります。しかし、仮に大きな差が見られても、この証拠は決定的に仮説が真であることを証明するものではありません。それでは私が実験をして、大きな差を発見したとします。この発見は、この仮説が一つのテストをパスしたことを示すにすぎません。というのも論理的に言えば、コーヒーを飲む被験者にがんが多く発生する元となる、コーヒーを飲む以外の別の要因があるかもしれないからです。

デュエムは、この科学的検証モデルに対し次のような批判を行っています「『科学者』は、実験の統制に対する個別の仮説を提示することはできない。できるのは被験者グループ全体に対する仮説を提示することである。実験が彼の予想に反するものだった場合、そのグループを構成する少なくとも一つの仮説が誤っていて修正しなければならないということが判明する。しかし、実験は、どれがその修正すべき仮説なのかを示さない」（１９５４年）。たとえば、コーヒーとがんについての私の仮説を検証する際、仮に被験者がほうれん草を食べることについて制限を受けていない場合、コーヒーを飲まない人のほうれん草を食べる習慣が彼らをがんから守ったのであって、コーヒーを飲まないことではなかったということになるかもしれません。デュエムの問題は、仮説演繹法、（Ｈ→ｅ）の最初の部分にあります。彼は、いかなる仮説も無限の補助仮説の集合から切り離すことはできないと主張しています。コーヒーの例でいうと、補助的前提は、類似の病歴を持った人々のグループで検証を行った、あるいは観測値の集計に間違

⑩
デュエム＝クワインのパラドックス

1. {H, (A1, A2, A3, . . . , An)} → e
2. e は偽である。
3. {H, (A1, A2, A3, . . . , An)} は偽である。

いはない、などとなります。この無限の補助的前提（Ａ１、…、Ａｎ）を考慮に入れると、次のようになります（⑩）。

Ｈは Ａの無限集合で補完され、仮にデュエムが正しいとすると、対立するすべての結果は、主要仮説および補助仮説の集合の一つが偽であることを示しています。帰結ｅが示していないことは、Ｈだけが偽であるということではありません。私たちの例でいうと、大きな差が出ないことは、もはやコーヒーががんを引き起こすという仮説を否定する決定的な根拠とはなりません。デュエムは、この問題を科学者と医師、科学者と時計職人を比較して説明しました（１９５４年）。時計職人はうまく動かなくなった時計の欠陥を見つけ出すまで、一つひとつの部品を調べます。一方医師は、病気の患者の体を部位ごとに独立して検査することはできず、代わりに、体全体に現れた症状を調べることでしか病巣を突き止めることができません。同様に、科学者は補助的前提の無限集合の一つひとつを分離し、それぞれ個別に検証することはできません。しかし、ここから主となる科学的仮説とその補助的仮説のうちの一つのどちらかに「責めを負わせる」ことが合理的なのか、というパラドックスが生じます。

先の議論の最初の前提は、仮説の検証をする際は常に、仮説とともに無限の補助的仮説の集合がある、という主張です。別の例として、日食の際に見られる地球の影を観察することにより、地球の形が立方体であるという仮説を検証する実験について考えてみましょう（１０１ページ図３）。仮説が誤りであることを示すには、仮説をその補助的仮説の集合から分離しなければなりません。

地球は立方体だというのが仮説であり、この仮説の論理的含意は地球の影は正方形かまたはひし形だということです。しかし、地球の影はほかの特定の前提条件が満たされた場合に限っての推論です。たとえば、実験者は、光というものは、立方体の影を円にしてしまう性質のものではない、影を検出する機械は適切に機能しているなどの仮定を立てます。最初の前提は、立方体の仮説が検証されるには、そのような仮定の無限の集

⑪
シンプルなデュエム＝クワインのパラドックス

1. 補助的仮説の無限集合から分離して検証できる仮説はない。
2. 仮説が誤りであることを示すには、仮説をその補助的仮説の集合から分離しなければならない。
3. ゆえに、いかなる仮説も誤りだと示すことはできない。

合をともなわなければならないことを意味しています。しかし、否定的な実験結果は、Hそのものではなく、仮定の集合（H、A1、A2、…、An）に何か問題があることを示すのみです。シンプルなデュエム＝クワインのパラドックス（⑪）の前提2、つまりHが間違っていると判断するには、すべての補助的前提からHを分離する何らかの方法がなければならないとする論点を認めるのがこの種の議論です。

シンプルなデュエム＝クワインのパラドックスの二つ目の前提は、立方体の仮説が誤っていることを示すには、その仮説がその補助的前提から分離されなければならないことを

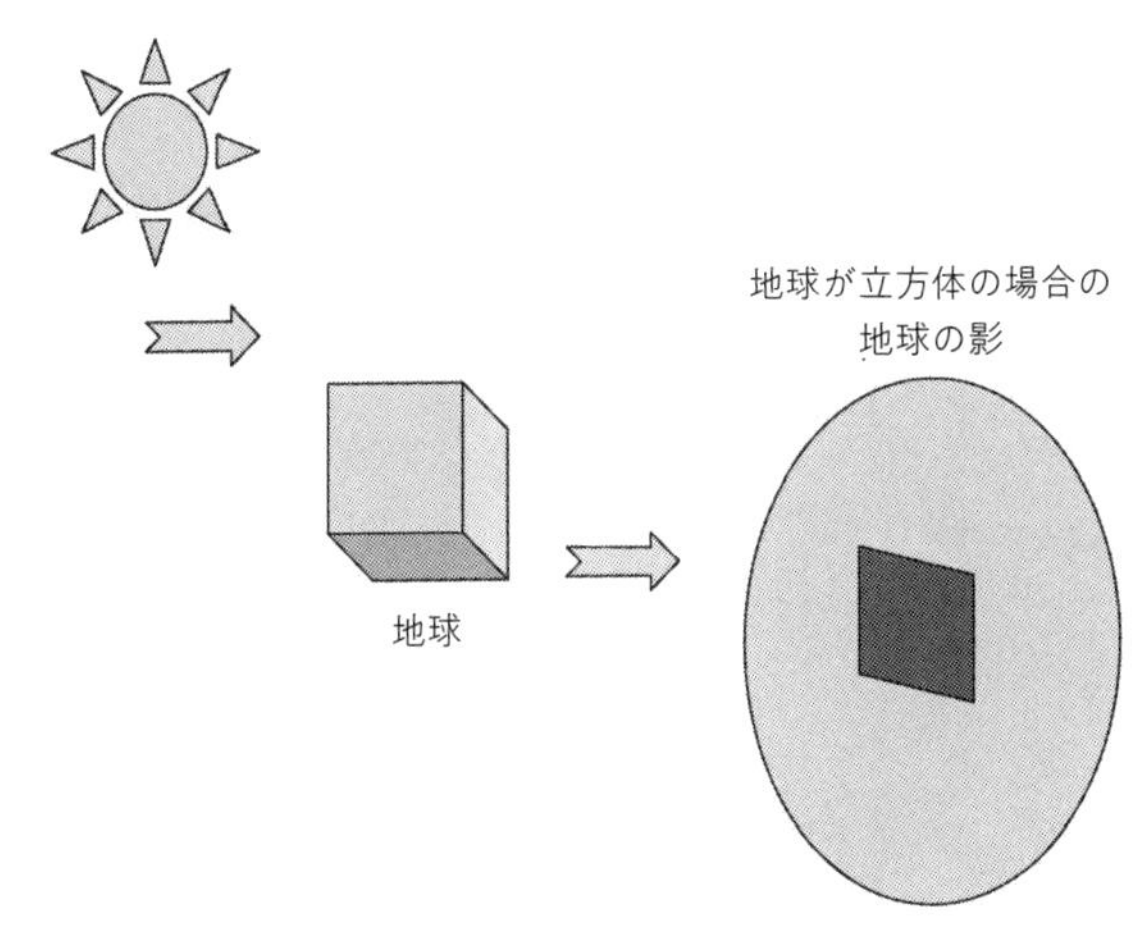

図３　仮説と論理的含意の例

意味します。地球を立方体とする実験が行われ、地球の影が円であると仮定します。この場合、円形の影はＨと補助的仮定の無限の集合を含む仮説の集合の一つだけが誤りであることのみを示します。示していないのは、Ｈが誤りだということです。このシンプルな形式のパラドックスの結論は、どの仮説も誤りだと示すことはできないというものです。地球は立方体であるという仮説の場合も、この仮説が誤っていると示すことはできません。

デュエム＝クワインのパラドック

スは、Ｐが得られなければ、Ｐであるかわかり得ないという非常に強い前提条件を主張する懐疑的パラドックスの特殊なケースです。たとえば、私は今、自分が夢を見ていないことが確かなら、ニューヨークにいることがわかっています。しかし、私は、自分が夢を見ていないか完全に確信が持てないので（たとえば物を書きながらうとうと居眠りをしているかもしれません）、私が現在ニューヨークにいるかどうかわかりません。デュエム＝クワインのパラドックスでは、補助的前提の集合が、懐疑的パラドックスの前提条件と同じ働きをします。補助的前提の集合は除外することができず、それは仮説が正しいかどうか知ることの妨げになります。懐疑的パラドックスの結論は、ある明確な仮説が正しいかどうか知ることができない（Ｈを証明できない）、ということであるのに対し、デュエム＝クワインのパラドックスの結論は、仮説が誤りであることは証明できない（Ｈではないと証明できない）というものです。

統計学を信奉する哲学者グループは、デュエム＝クワインのパラドックスの解決策があると主張しています。この哲学者グループ「ベイズ主義者」という呼称は、統計学者のトーマス・ベイズに由来します。ベイズ主義者によれば、科学的検証の仮説演繹法をほかのモデルに置き換えた場合、デュエム＝クワインのパラドックスに対する解決策が得られます。ベイズ主義のモデルでは、科学者のＨへの信念の度合いが、証拠ｅがある場合はない場合よりも高くなり、その分だけ、証拠ｅは仮説Ｈを裏づけます。第１章で論じたように、主観確率は完全な不信０から完全な確信１までの範囲の主観的な信念の尺度です。証拠がない仮説における科学者の信念の度合いは、仮説の「事前確率」と呼び、証拠を得たあとの仮説における科学者の信念の度合いを「事後確率」と呼びます。ですから、Ｈの事後確率がＨの事前確率よりも高ければ、Ｈが裏づけられる程度は、事後確率と事前確率の差となります。Ｈの事後確率を計算するために、ベイズ主義者はベイズの定理（１０４ページ⑫）を使用します。

この式を言葉で表現すると『ｅという証拠がある場合のＨの確率」は、「Ｈを条件としたｅの確率」×「Ｈの確率」を、「Ｈを条件としたｅの確率」×「Ｈの確率」＋「Ｈを偽とした場合のｅの確率」×「Ｈが偽となる確率」で割ったものと等しい』となります。つまり、新しい証拠が与えられた科学的仮説の確率は、次のように決定されます：その仮説が真であると仮定して発生する証拠の確率を取り（たとえば、地球が立方体だと仮

⑫

ベイズの定理

$$P(H \mid e) = \frac{P(e \mid H)\,P(H)}{P(e \mid H)\,P(H) + P(e \mid \text{not-}H)\,P(\text{not-}H)}$$

定して、その影が正方形になる確率）、仮説だけの確率をそれにかけます（地球が立方体である確率）。次にこの数を、その仮説が偽である場合にその証拠がある確率（地球は立方体ではないが、影が正方形である確率）と仮説が偽である確率（地球が立方体ではない確率）をかけたものを足して割ります。

この計算の前に、ある一定の要因を知る必要があり、そのうえで「責めを負わせる」行為が生じる場合があります。その要因とは、(1)Hが真および偽であることの事前確率、(2)可能性、つまりP(e|H)、(3)ベイズ主義者が言う「包括係数」、つまり、仮説が正しくない場合にeが得られる確率P(e|not-H)です。これらが得られたらベイズの定理に代入し、どの程度その証拠が仮定を裏づけるかの、事後確率を求めます。

こちらがその例です。実験が終わり、結果が問題の仮説と対立するように見える状況を考えてみましょう。この否定的な結果に対する一つの反応は、仮説を否定することです。別の反応は、補助的前提を調べることです。コーヒーの例をもう一度考えてみます。わかりやすくするために、補助的前提が一つしかなく、研究の被験者は同様の病歴を持つと仮定します。この場合、主となる仮説Hは「コーヒーを飲むとがんになる」、補助的前提Aは「仮説の検証には同様の病歴を持った人々が含まれる」です。この単純化された例においては、仮説Hと補助的前提Aには、がんの発生に大きな差があったとするeが必要ですが、eは偽であることが認められています。ベイズ主義の説明はAがHよりも責めを負う可能性が高いこと、またはその逆を示します。Hには多くの証拠があり、Aが偽であるという証拠があること以上に、Aが真であるという証拠がほとんどないと仮定します。私たちの例では、おそらく被験者の病歴が十分確認されていなかったので、コーヒーを飲む人は喫煙し、コーヒーを飲まない人は喫煙の習慣がない可能性があります。このような状況では、HよりAこそが問題のある要素だという可能性が高くなります。ベイズ主義者は値をベイズの定理に代入することで、この種の問題を

解決します。まず、HよりAに低い事前確率を割り当てます。たとえば、Aが真であることはAが偽であることよりわずかに確率が高いので、その事前確率を0・6とします。一方Hは、極めて高い確率である0・9が割り当てられます。次に、可能性に関しては、ベイズ主義者はHが偽である場合よりはAが偽である場合に否定的な結果が生じる可能性がはるかに高いと考えます。たとえば、式に表すとP(not-e | a) = x、P(not-e | not-a and H) = 50x、P(not-e | not-a and not-H) = 50xとなります（計算は巻末の注釈参照）[3]。結果は、これらの数字をベイズの定理に代入したあと、Hの確率は0・9から0・897へとわずかに下がるだけですが、Aの確率は0・6から0・003に大幅に下がります。したがって、それらの事前確率、およびAまたはHが偽である場合にeが偽という結果になる可能性をふまえると、科学者はHを真としたままAを否定する正当な根拠を持つことになります。

一言で言うと、ベイズ主義者は科学者の主観的な信念の度合いを分析し、これらの確率をベイズの定理に代入することにより、主となる仮説の却下が正当化される場合と、そうではなく補助的前提が却下されるべき場合を説明しようとしています。ベイズ主義者はデュエム＝クワインのパラドックスを、ある仮説が誤っていることを証明するには、その仮説を補助的仮説の集合から分離する必要があるとする第二の前提を否定することによって解決します。私たちが補助的前提における信念の度合いの事前確率を知っている限り、それらを却下するかどうか判断することができます。

これは、統計学の原理におけるデュエム＝クワインのパラドックスについての科学的推論の標準的な見方ですが、ベイズ主義者の説明にはある問題があります。最も重要な反論は、ベイズ主義者が、仮説が検証される前の仮説における科学者の事前の信念の度合いに依拠している点を指摘しています。科学者がそのような信念の度合いを持っていると仮定し、またそうした信念を度合いとして定量化できると仮定し、事前の信念が科学における推論の中心とみなされることは望ましくありません。そうした主観的な信念は極めて変化しやすく、個人によりばらつきがあるだけでなく、同じ人物の中でも時間により変化します。明確な矛盾などのように、合理的な信念を持つ人全員が０を割り当てる信念がいくつかあります。しかし、ほとんどの信念は、このようには作用しません。たとえば、科学者の信念が一日の間にわずかでも変わると、仮説の受容あるいは却下の正当性は変わるでしょう。この主観主義的な説明には、どこか問題があるように見えます。私が思うに問題とは、科学者が自分の仮説に対して持つ自信と、それが正しいという証拠とが混同されている点にあります。デボラ・マヨは、ベイズ主義者のアプローチを批判する『*What's Belief Got to Do with It?*』というタイトルの記事の中で、次のように問いかけています。

科学者は、問題はＨではなく補助的仮説に帰属しているという主張を、信念の度合いを説明することによって正当化することはできない。逆に、科学者は、それ自体が肯定的な証拠を示すまで、またそうならない限り、問題の説明の反証を求めなければならない。そして、彼らに求められているのは、この証拠が、ある要素が反証される原因となる多くの方法をあえて試みることである。（１９９７年）

マヨはこの記事の中で、こうした問題をどう解決するかについてベイズ主義者が示した手間のかかるやり方を批判しています。反証により、主となる仮説またはいくつかの補助的仮説を却下すべきときを決定するためには、実験の前の科学者が持つ主観的な信念の度合い以上のものが必要です。必要なのは、補助的仮説が誤った仮説であるという証拠であり、なぜこの証拠が、補助的仮説が誤っている証拠として解釈できるのかという理由です。パラドックスは本質的に私たちの信念の問題であり、強い信念同士の対立であるという単純な理由から、ベイズ主義者がデュエム＝クワインのパラドックスの説明に主観確率を使用することは、パラドックスを検討するために主観確率を使用することほどの正当性はないと考えられます。

３・３　ゼノンのパラドックスと無限収束級数のアイデア

「異質なものを除外する」解決策の別の例として挙げられるのが、現代の数学の収束幾何級数の概念であり、これはゼノンの多くのパラドックスに対する標準的な解決策を提供します。本書でのちほど詳細に議論するゼノンのパラドックスの多くは、空間、時間、運動についての常識に疑問を投げかけます。たとえば、二分割のパラドックスで、ゼノンはある人物が地点Ａから地点Ｂへ移動するには、その人物は半分の地点に到達する必要があり、その半分の地点に到達するには、Aとその半分の地点のさらに半分の地点に到着しなければならず、その半分の半分の地点へ行くには、その地点とAの中間点に達しなければならない、さらに……というように無限に続くため、その人物は地点Aから地点Bへ移動できないとします。

このパラドックスを解決するのに、現代数学で使用されるのが、無限に収束する幾何級数の概念です。幾何級数は、隣り合う項の比率が一定である級数です。たとえば、連続する16、8、4、2……で、次の数字は前の数に$\frac{1}{2}$かけることで得られます。それぞれの数字に$\frac{1}{2}$かけると次の結果が得られるということは、その級数の公比は$\frac{1}{2}$であることを意味します。そして、この級数は、省略記号を用いて無限大であることを示します。しかし、この級数の和は有限と考えることはできないのでしょうか？　この級数には項数が無限にあるので、すべての項の総和もやはり無限大であると考えるかもしれません。しかし、そうではありません。

$\frac{1}{2}$、$\frac{1}{4}$、$\frac{1}{8}$、……という級数を考えてみると、この級数の和は無限ではなく、1です。これを確認するには、収束級数の概念が役に立ちます。収束級数は1未満ですが−1より大きい一定の比率を持っています。この場合、級数の項は0に限りなく近づいていきます。級数$\frac{1}{2}$、$\frac{1}{4}$、$\frac{1}{8}$……の公比は$\frac{1}{2}$で、これが収束級数であることを示しています。次の数は$\frac{1}{16}$、その次は$\frac{1}{32}$、と続きます。分数がどんどん小さくなっていくことに注目してください。しかし、結局この級数は0に到達するのでしょうか？答えはノーです。数は半分に減り続けますが、ある数字の半分は0より大きくなります。これは収束級数なので、その和は有限で無限ではありません。無限収束級数の和を求めるには、公比を級数で割ります。この級数をsと呼ぶことにしましょう。たとえばs = 1/2, 1/4, 1/8……ではこの級数の公比は$\frac{1}{2}$です。これをその級数にかけると、1/2s = 1/4, 1/8, 1/16……となります、この級数では級数の最初の項に$\frac{1}{2}$がある点だけが異なります。したがって古い級数から新しい級数を引くと、まったく同じ級数から最初の項を除外したものが得られます。したがって、s − 1/2s = 1/2、でsを解くとs= 1となります。ゆえに、ゼノンの二分割のパラドックスで使用されたこの級数の和は1となります。しかし、このパラドックスの一つの前提は、距離自体が無限でなければ、距離を無限に分割するのは不可能だということでした。この解決策によると、距離自体が無限ならば、これが実際に起こる可能性はあります。したがって、ゼノンのパラドックスに対しては無限収束級数の概念を使った「異質なものを除外する」解決策が取られます。無限に分割することの可能な空間を移動することは小さな「旅」を無限に繰り返さなければならないので、不可能であるとする前提は、偽です。

3・4 「異質なものを除外する」解決策タイプの一般的分析

すでに議論した抜き打ち試験、デュエム=クワインおよびゼノンのパラドックスに対する解決策の共通点は、それぞれがパラドックスの関連する部分の前提を指摘し、その前提を疑問視している点です。それぞれの解決策は、そのパラドックスの部分の主観確率を下げる根拠を提供しています。抜き打ち試験の場合、その解決策により私たちは「抜き打ち試験」が意味するところについて再考し、教師の言った言葉は、金曜日に試験ができないという意図を伴うものではなかったと結論づけることになります。教師の発言は、木曜の試験の時間が終わるまで予想できないという意味だったとする別の前提を考えると、パラドックスは扱いやすくなります。同様にベイズ主義者の科学的検証の説明は、デュエム＝クワインのパラドックスにより導き出された、ほかのものから切り離して仮説を検証することはできないという前提は、誤りだったと示す方法を提供します。またゼノンの二分割に対する解決策は、無限級数は有限の和を持ち得ないという私たちの直観に対抗するものです。これら三つの解決策はすべて、パラドックスによる仮説を却下することを目的としています。このアプローチを考える別の方法は主観確率の観点です。一度はこの前提が正しいと信じていた、私たちのこの仮定に対する信念の度合いは、かなり低くなりました。

パラドックス解決策の一般的な戦略として、「異質なものを除外する」アプローチは、パラドックスの前提に対する主観確率を下げることについては、ある程度、成功しています。デュエム＝クワインのパラドックスに対するベイズ主義者の解決策でもわかるように、ある前提の主観確率を下げるために、説得力のない別の前提が必要になることがよくあります。そのため、これらの解決策では、パラドックスのある特定の要素についての主観確率を下げるために、主観確率の低い前提がしばしば用いられます。ゼノンのパラドックスに対する解決策においても、私たちは空間と無限の分割可能性についての一般的な考えを改めるよう、せまられます。「異質なものを除外する」アプローチは、主観確率の低い別の前提の導入のため、その評価が損なわれることが少なくありません。

4　解決策タイプ3：ここからそこへは到達不可能とする、または推論の妥当性の否定

「ここからそこへは到達不可能とする」解決策は、パラドックスの前提は正しいけれども、これらの前提がその結論に結びつくことはないとする主張です。「異質なものを除外する」解決策は、前提が誤っていることを指摘するのに対し、「ここからそこへは到達できないとする」解決策は、その前提は問題ではないけれども、むしろ問題は、その前提が明確な誤りである結論に結びつくという考え方そのものにあるとします。そうした戦略では、パラドックスの根底にある問題を取り上げます。この種の戦略の一例となるのが、懐疑的パラドックス（⑬）に対する文脈主義的解決策です。

⑬

懐疑的パラドックス

1. 自分が夢を見ていないことを知っているなら、私は確実にニューヨークにいます。
2. 私は、自分が夢を見ているかいないか、知りません。
3. ゆえに、私は自分が現在、確実にニューヨークにいるか知ることができません。

この逆説的な議論に対する文脈主義的解決策は「知る」という重要な用語の意味における同義性を指摘することです（出典：スティーブン・シファー　１９９６年）。文脈主義では、「知る」の基準は文脈によってさまざまだと考えられます。通常の感覚では、ある人物がニューヨークにいることを知るためには、確実性に依拠する知識よりも、はるかに厳格ではない基準を含みます。それゆえ、議論の最初の仮定にある「知っている」は、二つ目の仮定にある「知らない」とは示す意味が異なります。ですから文脈主義によると、その議論は無効となります。最初は与えられた議論の形式が妥当に思えますが、懐疑的パラドックスの実際の議論

⑭

妥当でない議論形式

1. Qである場合に限り、Pである
2. Rではない
3. ゆえに、Pではない

の形式は無効です。懐疑的パラドックスでは、Pが証明の必要が低いある特定の形式（ありふれた知識）で、集合Rが別の種類の知識（つまり証明するのが大変な、私は完全にだまされていないという知識）を意味しているため、別の用語の導入が必要になります。文脈主義では、以下のような形式の議論は無効であるため（⑭）、パラドックスは解決されているとします。

4・1 体系的な「ここからそこへは到達不可能とする」解決策：砂山のパラドックスに対するファジー論理

ファジー論理は多値論理のように、伝統的な二値論理と意味論にさらなる価値を追加します。古典論理や意味論によると、概念とは対象物から集合｛0、1｝の値を取る物体の関数であり、ここでは「０」は偽を、「１」は真を表します。たとえば「丸い」という概念は、バスケットボールでは真であり、ほとんどのコンピューターでは偽となります。しかし、ファジー論理による概念は、「０」を偽、「１」を真とする単位区間「０、１」の値を取る物体の関数です。ファジー論理では、ある物体は、完全な丸か、そうでないかではなく、０・７丸い、という言い方が許されます（たとえば、長いスイカは、「完全な丸」と「完全に丸ではない」の間に入るかもしれません）。

ヤン・ウカシェヴィチのシステム Ｌｘを使用したケントン・マキナは、真理の度合いの真理条件は表５（１１８ページ）に従うとしています（１９７６年）。最初の規則では、論点の否認の真理値は１からその値を引くことによって決定されます。たとえば、論点が０・70真の場合、その否定は０・30真です。このコップは満たされているという表現は、コップが半分満たされている場合は０・50真です。このコップは空であるという表現は、コップが半分だけ満たされている場合も０・50真です。

二つ目の規則は、連言の真理値は二つの連言値の最小値を取ることによって決定されることを述べています。Ａが０・55真、Ｂが０・６真の連言（ＡかつＢ）を考えます。

表5　ファジー論理の真理条件

/P/をPの値とする

1. /−P/ = 1 − /P/
2. /P & Q/ = Min(/P/, /Q/)
3. /P v Q/ = Max(/P/, /Q/)
4. /Q/ > /P/であれば、/P → Q/ = 1;
   または /P/ > /Q/であれば /P → Q/= 1 − /P/ + /Q/
5. /(∀x)A(x)/ = それぞれの名tに対する値の最大下限 /A(t)/
6. /(∃x)A(x)/ = それぞれの名tに対する値の最小上限 /A(t)/

これは2の最小の真理値であるため、連言は0・55真です[4]。三つ目の規則は、選言の真理値はその二つの選言値の最大値を取ることによって決定されることを示しています。選言(A v B)、つまり(AまたはB)を考えます。ここで、Aは0・55真、Bは0・65真です。この選言の真理値は0・65であり、これは二つの数値のうち大きいほうの値です。連言にはより厳密な要件があるため、両方の接続式の真理値(AND論点の一部)を組み合わせた真理値が、二つの連言のうち低いほうになることは理にかなっています。同様に、選言(OR論点)の真理値は、二つの選言のうちの高いほうの値になるはずです。条件式(PならばQという論点)の真理条件は、帰納的前提(IP)が条件つき論点のため、この議論には重要です。四つ目の規則によると、条件式は、帰結（Q）の真理度が先行仮定（P）よりも大きい場合、完全に真理となります（すなわち真理度が1になる）。一方、先行仮定が帰結よりも値が大きい場合は、条件式はその先行仮定が誤りで、その帰結が正しい場合に真理だということになります。たとえば、Pの真理値が0・60で、Qの真理値が0・20の場合、（P→Q）の真理値は（1－0.60）＋0.20、つまり0・60になります。

従来の論理では、条件式（P→Q）は、その先行仮定の否定とその帰結の主張（～P∨Q）の選言に変換されますが、ファジー論理ではこの変換はできません。なぜファジー論理において条件式が選言に変換されないのかを見るために、Pの値が1/2である条件式（P→P）を考えてください。もし条件式を選言に変換できれば、この条件式の真理値は（～P∨P）となり、これは二つの選言の最大値であり、1/2です。しかし、PはPを「必然的に」ともなわなければならず、Pは必然的にそれ自体と同じ真理値を持つため、この条件文は完全に真でなければなりません。しかし、この種のファジー論理によれば、条件式（P→P）は真理値1－／P／＋／P／を持ち、これは（1－1/2）＋1/2、つまり1です。このため、この条件式は完全に正しいことになります。

最後の二つのファジー論理の真理条件については、5.は、「すべての人間には寿命がある」といった一般化に対し、真理値は「Ａは人間でありかつＡには寿命がある」、という形を取る文章の集合の下限値によって決まるとしています。下限値とはその集合のすべての要素より低いか同等の値をいいます。上限値は、その集合のそれぞれの要素より大きいか同等の値をいいます。したがって6.は「寿命のある人間がいる」といった主張に対し、その論点の値は「Ａは人間でありかつＡには寿命がある」という形を取る文章の集合のすべての要素より高いか同等の値となります。単純に言うと、5.では、一般化（すべてのｓはＰである）はすべてのｓがＰである程度において真理であるため、任意のｓの最低値は、Ｐという論点が全体的一般化を表す程度になります。すべての人間には寿命があるという主張に反論するには、反証となる、つまり不死の人間を示すでしょうから、それは理にかなっています。このように一般化の真理度はその反証の値によって下げられます。また6.に関しては、ある人間が存在し、彼が不死であるということを証明するには、そうした人間が一人いることを証明すればよいだけなので、Ａは人間でかつＡは不死であるという形の論点から最高値を選択します。

ファジー論理では、たとえば、砂山のパラドックス（１２３ページ⑮）の最初の論点、髪の毛が０本の人はハゲであるという前提は完全な真です。そして、頭に髪の毛がｎ本生えている人がハゲだとすると、（ｎ＋１）本の髪が生えている人はハゲであるという形式の一連の前提を介して、結論は完全に誤ったものになります。この一連の流れの中間にある先行仮定（頭に髪の毛がｎ本生えている人はハゲである）は、その結果（［頭にｎ＋１］本の髪の毛が生えている人はハゲである）よりわずかに真理です。例として、次のことを考えてみましょう。

中間の前提と同様の形式を使用することで、この議論の結論は、他の議論の最初の前提とすることができます。頭に髪の毛が1本しか生えていない人はハゲであるなら、頭に髪の毛が（１＋１）本生えている人はハゲであるとすると、頭に髪の毛が2本生えている人はハゲであるという結論が導かれます。それを続けて、頭に髪の毛が10万本生えている人はハゲであるという結論に到達するまで続けます。髪の毛が０本の人は1本生えている人よりはハゲである度合いが高いので、頭に髪の毛がｎ本生えている人がハゲであるなら、頭に髪の毛が（ｎ＋１）本生えている人がハゲという形式を取る前提の先行仮定はその結果よりも真理に近いということになります。その結果、この形式を持つ前提は、結果がその先行仮定より真理から遠いため、完全に誤っていると結論づける人がいるかもしれません。しかし、ファジー論理では、完璧な真理の保存を、真理度の保存ほどには重要視しません。古典論理では、「もし～ならば、その場合」(P→Q)という論点が誤りになる唯一の方法は、先行仮定(P)が真で結果(Q)が偽の場合です。ファジー論理によると、この定義は真理度の説明のために変更されます。先に論じた前提2のケースでは、先行仮定が完全に真(1)です。結果の真理値はほとんど完全な真なので、二つ目の前提条件の真理値は、先行仮定の否定の真理値(0)+ほとんど1である結果の値ということになります。数値nが大きくなるにつれて、先行仮定の真理度は薄れ、その否定がより正しいものになり、また結果の真理度も低くなります。

前の議論の結論は最初の前提ほど真実ではありません。さらに、ある議論の結論が次の議論の最初の前提になるという形でさらなる議論が構成されると、これらの新しい議論の結果は少しずつ最初の前提より真理ではなくなり、最初の議論の最初の前提と比べると、さらに真理から遠ざかっていきます。このような議論が一通り続いたあとには、

⑮
砂山のパラドックスにおける一つの思考形式

1. 頭に髪の毛が０本生えている人はハゲである。
2. 頭に髪の毛が０本生えている人がハゲであるなら、頭に髪の毛が（０＋１）本生えている人はハゲである。
3. 頭に髪の毛が１本生えている人はハゲである。

結論はほぼ完全に間違ったものになるでしょう。ティモシー・ウィリアムソンが言うように、「（砂山の）前提条件の小さな誤りが、結論において、大きな誤りを生み出す」（１９９４年）のです。

　妥当性が完璧な真理を確保するものなら、その議論は有効です。帰納的前提と最初の前提が真理なら結果も真理になるはずです。一方、妥当性が真理度を確保するものであるなら、一つの前提の真理度は結論の真理度より高いため、議論は無効となる可能性もあります。

４・２　ファジー論理の問題点

　半分が赤で半分がオレンジの境界線に、赤とオレンジが半々のつぎはぎになったパッチ部分があると想像してください。誰かが「このパッチは赤だ」と表現したら、その人の話は0・5真です。そして「このパッチは赤ではない」という表現も同様に0・5真です。パッチは半分赤ですが、同時に半分赤ではないので、この表現は直観に反しているとはいえません。しかし問題は、「このパッチは赤であり、赤でない」という表現です。ファジー論理では、この連言の表現の真理度は、連言値の最も低い真理度と同じであるため0・5です。しかし、この真理値は直観に反します(118ページ表5参照)。そうした連言は、論点とその否定の両方が主張されているため、完全に誤っているように見えます。この連言が完全な誤りだと主張することは、論点とその否定が同時に真であることはできないとする無矛盾の法則を放棄することです。さらに、ファジー論理では、選言「このパッチは赤であり、あるいはこのパッチは赤ではない」も0・5真になります。これは、PやQなどの選言の真理値は、この場合、PとQのどちらか大きいほうになるためです(118ページ表5参照)。この連言の真理値は、そうした連言は排中律を否定しない場合に論理的に正しいため、直観に反します。先の例のような連言と選言に対するファジー論理による措置の半直観的性質について、ファジー論理学者のケントン・マキナは論文『*Truth, Belief, and Vagueness*』の中で、次のように認めています。

我々の多値論理における接続詞「∨」と「＆」に最もよく当てはまる真理関数的定義は、無矛盾の法則と排中律の両方が失われることにつながる可能性がある。実際に、これはまさに私が主張する論理の中で起こることである。これらの法則が失われるということは、私のアプローチを否定する十分な根拠になると私は考えている。私が取ろうとしている戦略は、これらの法則が失われることが適切なこととされ、かつ喜んで受け入れられるよう努めることである。論理に破たんをきたすことなく、これらの法則を取り下げることができる。実際、ある意味では、これらの法則は常に完全に正しいわけではないが、常に少なくとも半分は正しいという理論体系のもとで維持されているのである。（１９７６年）

マキナは、曖昧さが導入されることにより、論点を主張しかつ否定することができるため、無矛盾の法則と排中律が失われることは「適切」なことであり、歓迎されるべきだと主張しています。しかし、リンダ・バーンズが著書『*Vagueness*』（１９９１年）で主張しているように、同じ論点を同時に主張しかつ否定することが可能なら、不合理性を指摘するのは極めて困難になります。論点を主張することは、その真理を肯定することであり、論点を否定することは、その真理を否定することです。二つのことを同時に主張する人物は不合理な人物です。しかし、ファジー論理では、この人物はまったく不合理ではない可能性があります。同じ論点を同時に主張し否定することが合理的だとしたら、ある人物の主張に不合理性を見い出すのは困難になります。

　ロヒト・パリクは別の疑問を投げかけています「『ファジー論理』はなぜ見解の相違というものがあるのか私たちに示さない。仮に誰かが０・５のハゲであったとして、通常、人は０・５のハゲということに合意できるかどうか考えるだろう」（１９９４年）。言い換えれば、誰がハゲであるかを分類する際の意見の相違と不確実性の解決を試みる際、ファジー論者は、その意見の相違をあるハゲの程度に単に置き換えるだけです。一般的なハゲについての合意を超えた０・４のハゲについての合意はもはやありません。実際には、一般的なハゲに関する意見の不一致よりも、０・４のハゲについての意見の相違のほうがあるのではないかと思われます。

4・3 「ここからそこへは到達不可能とする」解決策の一般的な分析

パラドックスを解決するための戦略としての「ここからそこへは到達不可能とする」解決策は、議論を無効にする論理の誤りを簡単に見破ることができる場合にはうまく機能します。しかし、そうでない場合には（ほとんどのパラドックスでは論理の誤りを簡単に見破ることができない）、この戦略は妥当性といった従来の論理的概念を否定し、これらの概念を別のものに置き換える方法を取ります。したがって、この解決策が成功するかどうかは、この解決策によって提案される代替理論にかかっています。ファジー論理と砂山のパラドックスのケースで見られたように、曖昧な真理条件を使用して砂山のパラドックスの推論を否定すると、さらに多くの難問を招く可能性があるので、パラドックスを解決することで想定される利点は、通常の論理的含意の点でかなり妥協しなければ得られないことになります。

もう一度繰り返しますが、先制攻撃と同様に、パラドックスの一部についての私たちの主観確率を下げることは、ほかのより低い主観確率をともなう論点を受け入れることにつながります。

5 解決策タイプ4：「すべてよしとする」アプローチ、あるいは反直観的な結論を含め、パラドックスのすべての部分が問題ないと主張する方法

パラドックスを解決するためのほかの一般的な方法は、逆説的な議論の結論が誤りのように見えても、実は正しいということを示す方法です。そのためには、許容できそうには見えない結論が、実際には許容できるものであることを示さなくてはなりません。この章を始めるにあたっては、結論が実際には正しいことを示すことで最終的に解決されたモンティ・ホールのパラドックスを論じました。私たちの直観には反しているものの、ゲームの出場者は最初の選択を維持するよりも変更したほうが車を獲得できる可能性が高くなります。これは、パラドックスに対する古典的な「すべてよしとする」アプローチです。選択を変えても変えなくても、出場者が賞品を獲得する確率は変わらない

パラドックスを解決するための
ほかの一般的な方法は、
逆説的な議論の結論が誤りのように見えても、
実は正しいということを示す方法です。

ように思えますが、選択を変えるのがよりよい方法です。このパラドックスのすべての仮定は一貫しており、また選択を変えたほうがよいというのは、驚きをともなうものの、それが正しいことがわかります。そして、私たちがパラドックスを議論としてではなく、それぞれは正しく見えるけれども相反する論点の集合だと考えるならば、「すべてよしとする」解決策は、実際にはそのパラドックスの論点は相反するものではないことを示そうとするものです。論点はすべて一貫して維持することができ、「すべてよしとする」のが解決策であることを主張しています。

5・1　体系的な「すべてよしとする」解決策：真矛盾主義、矛盾許容論理、うそ

パラドックスに対する別の「すべてよしとする」解決策は、いくつかの矛盾は実際には真理であるとする真矛盾主義による、うそつきのパラドックス（⑯）に対する説明です。真矛盾主義は、うそつきのパラドックスに対して興味深い見解を持っています。最初の三つの文それぞれの主観確率は極めて高くなっています。ところが、三つを一緒にまとめると、四つ目の論点が導き出されるという真理によって明らかなように、互いに矛盾

⑯

うそつきのパラドックス

L：この文は偽である。

1. （L）が真なら、（L）は偽である。

2. （L）が偽なら、（L）は真である。

3. すべての文は真か偽のどちらかである（二価の原則）。

4. ゆえに（L）は真であり偽でもある。

しています。

真矛盾主義の説明では、うそつきの文とその否定の連語（L&~L）は真理として許容できます。矛盾を正しいとすると、あらゆることが正しいという証明に使用可能なため、通常やっかいなものとされています。この問題を軽減するため、真矛盾主義者は、選言三段論法といったいくつかの極めて直観的な論理原則を放棄する矛盾許容論理を用いますが、瑣末（さまつ）主義に陥ることなく矛盾の真理（すべての論点は正しいという見方）を可能にします。

矛盾許容論理は、矛盾への対処において、古典論理やほとんどの非古典的論理とは異なる論理です。直観的に、仮説の集合が矛盾に結びつくのを見ると、私たちは何かがおかしいと考えます。矛盾（たとえば、ＰであってＰでないなど）は、通常、ほとんどの論理において問題があるとみなされます。日常生活において、誰かが何かを主張し（たとえば、私は青い車を持っている）、それから特に説明もなくその否定（たとえば、私は青い車を持っていない）を主張したら、人の自然な反応として、おかしいと感じます。私たちはこの人物を信用のおける情報源とはみなしません。古典論理でも、仮説の集合が矛盾を導き出したら、論理学者は通常、証明を見直し、間違いがあったかどうか確認します。矛盾に対する懸念の一部は、古典論理では、矛盾を真理だと仮定すると、あらゆることを導き出せるという事実に起因します。ここで、いわば「何もないところから」何かを引き出し、矛盾を用いてそれを証明する論理的議論の例を挙げましょう（⑰）。仮に、私たちがｒという主張を証明したいとします。ｒを定義する必要はありませんが、面白くするために、ｒは「エレアのゼノンはニューヨーカーであった」と主張しているとしましょう。どのような矛盾でも、古典論理を使ってｒを証明することができます。たとえば、ａであってａではない、という矛盾を取り上げ、ａを「アリストテレスはマケドニア人であった」と定義します。証明

⑰

矛盾を用いた証明

1. ａは真であり、偽でもある（仮定）
2. ａは真である（１より＆を除く）
3. ａは偽である（１より＆を除く）
4. ａは真である∨ｒは真である（２、∨I）
5. ｒは真である（３、４の選言三段論法）

では、アリストテレスはマケドニア人だったが、アリストテレスはマケドニア人ではなかったとする矛盾から始めます。これを記号化するために「ａ＆ｎｏｔａ」とします。＆は連語を表します。これを「ａは真であり、偽でもある」と読みます。これを仮説とすると、二つの明白な事柄を引き出すことができます。一つはａは真、そしてもう一つはａは偽です。言い換えると、「ａは真であり、偽である」と仮定すると、個別に「ａは真」と「ａは偽」を引き出すことができます。以下が簡単な証明です。

2.と3.は、単に記号＆の意味に関係して導き出されます。Ｐ＆Ｑを真とすると、ＰとＱの両方が真でなければなりません。カッコ内は証明の道筋で、結論を導き出すことを可能にする古典論理の規則をまとめたものです。ここで、ｏｒをともなう論点、あるいは「選言」として知られている論点を作成することができます。前提2のａを取り上げ、証明したい選言を考えます。なんでも思いつくランダムな、あるいはとんでもない内容で結構です。このアプローチはｏｒの意味を示す記号∨により成立します。「アリストテレスはマケドニア人であった」などの正しい論点が一つある限り、「アリストテレスはマケドニア人であった」、または「エレアのゼノンはニューヨーカーであった」という選言をつくることができます。この論点はａ∨ｒ（2、∨I）と記されます。この（2、∨I）は私たちが前出の証明である2.で得られたａを使って選言を導入したということを意味します。次に私たちは、もし選言があり、その論点の一部を否定した場合、それ以外の部分を結論として得られるとする、選言三段論法（⑱）と呼ばれる規則を用いることができます。

言い換えると、ｏｒ論点が正しいのなら、少なくともｏｒのどちらかの側は正しいことになります。ですから、ある側の否定が正しいとしたら、もう片方の側は正しくなければなりません。「私は左利きである、または右利きである」、という論点が正しいと仮

⑱
選言三段論法

ｐは真である、または（or）ｑは真である。

ｑは偽である。

ゆえにｐが真である。

定しましょう。また私が右利きではないとも仮定します。すると私は左利きである、というのが結論になります。私たちの簡単な証明の中でこの規則を用いると、ゼノンはニューヨーカーであった、ということを証明することができるのです。

　このようにして、私たちはゼノンがニューヨーカーであったことを証明しました。ｒにどのようなほかの論点を当てはめても、得られる結論は同じです。私たちが行ったのは、矛盾（ａは真であり、偽でもある）を仮定とし、両方の側をそれぞれ個別に取り出して（ａは真であるに加え、ａは偽である）、選言（ａは真である∨ｒは真である）をつくり、ランダムな論点ｒを用い、ａの否定（ａは偽である）が適用されるとして、ｒを引き出すという作業です。この証明が示しているのは、矛盾（たとえば、ａは真であり、偽でもある）を抱えているときに、推論の基本的方法（たとえば、選言三段論法）を用いて、あらゆる論点を証明できるということです。これはよいことではありません。あらゆることを証明できるとしたら、その結論は価値のあるものとはいえないからです。仮にあらゆることを絶対的に証明できるとしたら、証明されたものの価値は極めて弱いものになります。矛盾があるにもかかわらず、古典論理から何かを証明できるということは、古典論理が紛糾性と呼ばれる性質を持っていることを意味します。

矛盾許容論理はシステム内に矛盾が存在することを許容しますが、それらの矛盾からあらゆる、すべてのことが結論として引き出されないよう、特定の論理規則に制限を加えています。そこで、これを「非紛糾性」と呼びます。また、これは一貫しない論点（aは真であり、偽でもある）を参考情報として扱います。

矛盾許容論理は、うそつきの文「この文は偽である」により生み出されたような議論を興味深い方法で処理します。文が真であり偽でもあるという結論の中の矛盾は、矛盾によりすべてが真理になるとは限らないため、私たちが考えるほどには問題はないとします。「ゼノンはニューヨーカーであった」を引き出すのに使われた規則である選言三段論法を除外したら、任意の主張を正しいと証明するために矛盾を使用することはできません。

５・２　真矛盾論理および矛盾許容論理についての考察

矛盾というのはおのずと、それに気づいた人に懸念を抱かせます。パラドックスが生じたら、解決しようという試みが行われますが、これは、パラドックスの極めて直観的な部分にある矛盾が、ある種の問題を引き起こしていること、また、一貫性へ立ち戻るのが望ましいことを示しています。私は私たちの信じること、特に私たちの通常の「真理、知識、美」といった言語概念の中にある程度の矛盾があることを少しは受け入れる必要がある、という考えに賛成ですが、矛盾は真理に帰属し得るということは、提起された問題を真剣に向き合わない方法で、矛盾を正当化しているように見えます。また、「Ｌは真でかつ真ではない」という文自体が正しいということが、本当にパラドックスをもたらす根本的な問題を解決するのか確信できません。たとえば、こうした説明は、「Ｌは真ではないにすぎない」、あるいは「Ｌは偽であるにすぎない」、といった文をどのように処理するのでしょうか？　うそつきの文が少しだけ変更された場合と同じ問題が起こるように思われます。

5・3 「贅沢なパラドックスあるいは明白な不条理」：趣味のパラドックス、そして超付値主義的「すべてよしとする」解決策

[1]「本当の美、または本当の醜さを追求するということは、本当の甘さや苦さを確認するのと同じくらい無益な試みである。器官の傾向によっては同じものが甘く感じられたり、苦く感じられるということもあり得る」。この格言がまさに趣味をめぐる議論は無意味だということを示している。この自明の理を精神、また肉体的な好みに拡大して当てはめるのは自然な、そして、必要なことでさえある。したがって、哲学、特に懐疑主義としばしば対立する常識は、少なくともある場合には同じ結論を導く場合がある……。

[2]オギルビーとミルトン、またはバニヤンとアディソンについて、両者は同じくらいの天才で優雅であると主張するのは、モグラの塚をテネリフェ丘陵地帯と同じ

くらいに、あるいは池を海と同じくらいに広いと言うのと同じくらいに大げさだとみなされるだろう。オギルビーやバニヤンのような作家を好む人もいるかもしれないが、そのような趣味は誰の関心もひかない。そして私たちは、ためらいなく、そのような作家に対する批評家ぶった評価を、くだらないものと断言するのである。

（デビッド・ヒューム、『*Of the Standard of Taste*』）

スコットランドの哲学者、デビッド・ヒュームは「趣味のパラドックス」と呼ばれるものを提案しています。それぞれが正しいように見える、しかし互いに矛盾する論点の集合であるそのパラドックスは、⑴「趣味には論争になる問題がない」、⑵「私たちはよい芸術作品と悪い芸術作品を区別する能力がある」、とする二つの単純な主張から成ります。⑴と⑵のどちらの論点も、このセクションの冒頭に述べられたヒュームの『*Of the Standard of Taste*（趣味の基準）』からの抜粋で説明されています。仮に、実際に趣味が完全に主観的なものなら、よい作品と悪い作品を区別しようとすることさえ無意味に思えます。しかし、私たちはこの区別を、常に決定的に見える方法で行っています。どうしたらこの二つの対立する論点がともに正しいことになり得るのでしょうか。

ヒュームの「すべてよしとする」解決策は、「感情」という言葉と「趣味」という言葉に対し特別な解釈を行う場合には、両方が真理であるとします。私たちは、誰かがある作品を好きではない、あるいはその作品に対して否定的な反応をすることに対し意義を唱えることはできないかもしれませんが、たとえば、その人物が自分自身の感情が事実を反映していると信じていることに対しては間違っていると主張することができます。ヒュームにとって、「すべての感情は正しい、なぜなら、感情はそれ自体を超えた何かを表すものではないからであり、ある人物がそれを認識している限り、常に現実だからである。しかし、理解の判断が常に正しいわけではない。なぜなら、それはそれ自体を超える何か、つまり、実際の問題を表すものだからである」（1757年）。実際、ヒュームはこれをさらに進めて、「美は物事自体に存在する性質ではなく、それらを思考する心の中にのみ存在する。そしてそれぞれの心が感じる美はおのおの異なっている」（1757年）と述べています。本当の美を求めることは、ヒュームにとって、本当の辛いものを求めるのに似ています。ある舌にとっては辛いものが、別の舌にとってはなんの辛さも感じない可能性があります。しかし、私たちが音楽を鳴らしながらやってくるアイスクリーム販売車の音楽と、バッハの音楽という二つの作品を比較する際、後者のほうが前者に比べて優れていると決める客観的な基準がないために、「趣味のパラドックス、あるいは明白な不条理が生じる」（１７５７年）のです。

　この趣味のパラドックスを解決するために、ヒュームは芸術作品に対する感情には、論争となる問題がないとする最初の論点は疑う余地はないものの、経験に基づいた客観的基準、すなわち、「普遍的に観察される、すべての国ですべての年齢層を楽しませるものについての一般的な観察」（１７５７年）が存在すると主張しています。ですから、何が美しく何が美しくないかについてさまざまな感情があることを私たちは否定できませんが、私たちは、これらの感情が、「普遍的」に受け入れられている何が楽しいものか、そうでないかに関する考え方に一致している、ということを否定することはできます。この二つ目の論点を具体化するために、ヒュームは美についての私たちの感情は、ほかの能力と同様、修練によって培（つちか）うことができるということを強調し、「人々の間に繊細さにおける幅広い違いがあることは自然なことであるが、この才能をある特定の芸術の分野で伸ばし向上させるのは、修練、また特定の種類の美に関する頻繁な研究、熟考以外にはないのである。（中略）修練があらゆる芸術の遂行に与える同様の手際と巧みさが芸術を判断する際にも同じ方法で獲得されるのである」（1757年）と主張しています。

ヒュームのこの見解が正しく、私たちの趣味に対する能力が完全なものになり得るなら、私たちは、その人物はバッハのフーガを聞く際に美を感じないということを否定することはできないけれども、彼または彼女の美を知覚する能力では、この経験を生じさせる特性（仮に経験された場合）を感じ取ることができないかもしれないと言うことは可能です。ある人がギターの初心者であったとして、最初はギターの微妙な違いがわからず、すべてのギターは一緒だと思っていたとしても、修練を積むことで微妙な違いや細かな点を認識できるようになります。それと同じように、修練によって高度な能力を培った人は、真の美を経験した人だけにおのずともたらされる審美眼により、さまざまな芸術作品を正しく評価できるようになるでしょう。

ですから、美は心の中だけに存在するものであるけれども、その性質を正しく認識する能力のある人物の中に、美を生むある特性が事実上存在するのです。ヒュームにとって美を認識するこの能力の構成には、繊細であること、つまり作品の比較において微妙な差や、小さなディテールを感じ取る力が関与します。先に述べたように、修練も同様に重要です。偏見、特に流行から自由になる必要がありますが、すべての習慣がよいものとは限らないということを理解しなければなりません。たとえば、ヒュームはこう語っています。「私たちはひだ襟と巻きスカートが古くさいからといって先祖の写真を投げ捨てなければならないだろうか？　しかし、道徳と良俗についての考えが時代によって異なる場合、そして悪質なマナーが表面に現れて存在しているところでは、適切な非難と強い不賛成が示されなければ、美しいものはゆがめられ、本当に醜いものになってしまう」（１７５７年）。たとえば、往年のテレビ番組『ハネムーナーズ』のジョークの中で、不運続きの夫、ラルフ・クラムデンが妻アリスに拳を振り上げ、「アリス、月までぶっとばすぞ！」と脅すジョークがあります。より繊細な視聴者には、虐待的で笑うどころではありません。最後に良識、あるいは効果的に推論する能力が存在します（出典：ヒューム　１７５７年）。これらは私たちの美的感覚を発達させ、私たちが美をよりよく見分けられるようにする行動です。

したがって、趣味のパラドックスは、主張の1と2の両方が正しいと述べることで解決可能です。私たちは趣味の多様な感情を断定することはできません。しかし、私たちはさまざまな年代や文化の経験を通して、美を体験するための能力を高度に培った人々の心に、好ましい感覚を普遍的に生じさせる作品についての普遍的な特徴を指摘することはできます。したがって、ある人の感情は、ある芸術作品に喜びや不快感を生じさせる特性にかかわる基準ほど正確ではないかもしれないと言うことが可能です。

では美を感ずる能力を同等に培った二人が、美であるか否かについて異なる知覚を持つ場合はどうなるのでしょうか？　ヒュームにとってこれは可能なのでしょうか？　ヒュームは、これはある意味、避けようがないと言っています。というのは「批評において、ある人物がある書き方や種類には許可を与え、それ以外を否定するというのは明確な誤りである。しかし、私たちのある気質や性質に合った種類やスタイルに対し、好意的な感情の傾斜を持たないようにすることは、ほとんど不可能である。そうした好みは実害がなく、不可避であり、その判断基準がないため、それについて議論することは合理的ではない」（１７５７年）。しかし、これは、専門家の間でコンセンサスがある場合を除いて、パラドックスを解決することはできないことを認めているように思えます。そのためヒュームの反応は、パラドックスは不可避であるとする「潔く結果に向き合う」解決策に似ていると考えられるかもしれません。より明白な論争に対するパラドックスを解決したにもかかわらず、二つの同等に培われた道徳的感覚が同じ作品に対して異なる見方をすることができるかどうかという問題が依然として残っています。これに対するヒュームの回答は「イエス」です。この解決策を「すべてよしとする」アプローチとして取るならば、失敗することを認識しなければなりません。一方、二人の同等の判断力を持つ人が、作品の美について異なる見解を持ち得るということをヒュームが認めたことで、私たちには、これらの二つの意見の間に正しい見解はあるのかという疑問が再び残ります。おそらくこの問題を、二つ目の論点を、私たちは「いくつかの」よい芸術作品を悪い芸術作品から区別する能力がある、というように、わずかに改訂することで解決することができます。同等に培われたセンスというものに、一般的なコンセンサスがない場合には、それはできませんが、そうしたコンセンサスがある場合には、それは可能です。

「超付値主義」として知られる現代論理を用いることによって、この問題を具体化する方法の一つは、許容可能な解釈を広い範囲で行うことです。それらを「付値」と呼ぶことにしましょう（出典：ファン・フラーセン　1966年）。それぞれの付値はある対象の美的価値についての主張に対し、真あるいは偽を割り当てます。付値は、ヒュームによって示されたガイドライン、つまり繊細さ、修練、偏見からの解放、良識に準拠し、超付値論理により具体化された許容のほかの基準に合致していれば、許容できます。条件により、解釈は実証性や論理的つながりをすべて満たしている場合に「許容可能」とされます。経験とほかの用語の記述との対立を避けるため、論理的つながりおよび経験的つながりを尊重する必要があります。たとえば、ある特定の対象への言及として、美という用語を使用する解釈では、同じ対象に適用されるものとして「醜い」という言葉を使うべきではありません。

「レオナルド・ダ・ヴィンチのモナ・リザは美しい」という論点に向き合ったとき、一部の許容可能な付値はこの論点に真理を割り当てるでしょうし、ほかの付値は誤りを割り当てるかもしれません。仮にすべての許容可能な付値がその論点は真理である、ということに合意した場合、超付値「超真」をその「レオナルド・ダ・ヴィンチのモナ・リザは美しい」という論点に割り当てることができます。しかし、許容される付値間に相違がある場合は、ある解釈ではそれが真であって、ほかの解釈では偽であるけれども、その論点はすべての許容可能な解釈で超真である、または真であるとは主張できません。同様にある作品Ｘは美しいという論点に対し、すべての許容可能な付値が偽を割り当てた場合にはＸについてのその論点には「超偽」が割り当てられます。このアプローチは同等に許容可能な付値システムの中での不一致を認めるけれども、一部の超真がその異なる許容可能な付値を一緒にまとめることをも認めます。そのため、超付値主義による趣味のパラドックスの解決策は、趣味の問題に裁定を下すことは不可能かもしれないけれども、超付値主義を用いてある芸術作品がよいか悪いかについて客観的に判断することは可能だとします。

　もちろん、趣味のパラドックスに対する超付値主義的解決策が成功するかは、それがほかの問題のある結果を回避できるかにかかっています。たとえば、仮に許容可能な解釈のうちのたった一つがxは美しい、ということを真と分類し、何千というほかの許容可能な解釈がxは美しい、ということを偽と分類したら、私たちはこのxは美しいという論点をほぼ超真だと考えるべきなのでしょうか？　あるいは、ほとんどの解釈においてそれを偽の領域に割り当て、一つの解釈においては真だとすべきなのでしょうか？「許容可能な」解釈の中でさえ、コンセンサスというものがパラドックスを解決するのに十分な存在であるのか、疑問に思う人もいるかもしれません。

5・4　「すべてよしとする」解決策の一般的分析

パラドックスを解決する戦略の一つとして、「すべてよしとする」解決策はパラドックスの直観的に調整不可能な部分を調整しようと試みます。ほとんどの場合、この解決策では、パラドックスの部分間に内部対立はないと解釈しようとします。「パラドックス」を、それぞれは真理に見えるが互いに矛盾する論点の集合として定義する場合、この解決策は結局その部分に相反性は見られないことを証明しようとします。そして「パラドックス」を一見正しいように思える前提と明確に正しい推論、そして明らかな誤り、あるいは矛盾する結論をともなう議論だとする定義によると、結論はまったく誤りではないことを示すのがこの解決策の戦略です。

そうした解決策がうまくいくかいかないかは、その逆説的議論の結論が誤りではないことをどの程度まで証明できるか、または、一見矛盾する命題がすべて正しく一貫していることを証明できるかにかかっています。今までに見てきたように、弱いパラドックス（モンティ・ホールのパラドックスのような）は、そのような解決策で解決されるかもしれませんが、難しいパラドックス（うそつきのパラドックスのような）は、そう簡単に対処できません。

6　解決策タイプ５：迂回する：代わりとなる概念をつくる

この「迂回する」解決策は、私が説明するものとしては最初の、パラドックスの一部の主観確率を下げようという試みの含まれない解決策です。この解決策によると、パラドックスのそれぞれの部分が、パラドックスを導く概念の性質を正確に表しているため、強い直観的な力を持っています。この戦略では、概念自体がパラドックスにつながることを認識し、パラドックスを回避する唯一の方法は、代わりになる概念を提供することだとします。「迂回する」解決策の支持者は、そのようにしてもパラドックスを取り除くことはできないことを認めています。しかし、彼らは、最も適切な方法で元の概念を厳密に模倣し、かつ、パラドックスに結びつかない代替概念を提示することができると主張します。

6・1　タルスキーによる、うそつきのパラドックス、グレリングのパラドックス、および定義可能性のパラドックスからの「迂回」

アルフレッド・タルスキーは『*The Semantic Conception of Truth and the Foundations of Semantics*』（１９４４年）の中で、うそつきのパラドックスが生じた理由を述べています。タルスキーは、「私が今述べていることは偽である」といった論点の問題は英語、スペイン語などといった自然言語が意味論的に閉じられているために生じるとしました。つまり、言語の表現は言語自体を記述するために用いられるものです。「真である（is true)」、「偽である（is false)」、「文である（is a sentence)」などの表現は、言語であると同時に言語を説明するためにも用いられます。M・C・エッシャーの有名な作品で、描かれている片方の手がもう片方の手を描いている両手の版画のように、何かによってつくられているもの、この場合は、言語表現は、言語自体の絵を描くために用いられています。たとえば、英語は言語の話者により使用される言語（タルスキーが対象言語と呼ぶもの）と言語自体を説明するための言語（タルスキーがメタ言語と呼ぶもの）を区別しません。私たちの「真」という単語の使い方は、「彼女が言ったことは真だった」という文章にあるように、言語の中の一つの単語である「真」という言葉が、どのように言語のほかの部分を語るのに使用されているかを示す十分な証拠となります。

これを認識する一方、タルスキーは彼が「充足」と名づけたものを含む、意味論的に開いた言語を使用して、真について考える別の方法を提案しました。開いた言語には、さまざまな階層の下位語がありますが、その下位語はそれ自身を記述しません。充足は一方では対象間の関係であり、もう一方では「xは甥だ」などの文関数です。文関数はxなどの自由変数を含む以外、通常の文の形式を取ります。自由変数が対象、つまり人の名前に置き換えられたら、その表現は「アンソニーは甥です」のように、単なる文になります。タルスキーにとって、「仮にそれがすべての対象によって満たされる場合は真であり、対象によって満たされない場合は偽である」(1944年)ということになります。

充足は再帰的な概念です。言い換えれば、より複雑な文関数はより単純なものから構成されます。たとえば、二つの対象xとyは、「xはyより小さい」または「xはyに等しい」のいずれかの条件を満たす場合、「xはyより小さいか等しい」という条件を満たします。より正確には、再帰的定義は、基本となるケースを用いて定義されたものの集合の要素として何を含めるかを決定し、そのケースから繰り返し(再帰的に)構成するルールを提供します。たとえば、負ではない偶数の再帰的定義をここに示します。負ではない整数の集合の数は、0を偶数とし(基本概念)、この数に2を足したものは偶数の集合であり、かつその場合に限り、偶数の集合に含まれます。この例が示す通り、再帰的定義は集合の潜在的要素すべてに繰り返すことができます。0を偶数の集合の数とし、2を加えることで、私たちは偶数を大量生産することができます。

タルスキーが提案した真理の代替概念には、二つの基準を満たすという目標がありま す。最初の目標は、それが「物質的に十分であること」です。このことは、私たちの真理についての日常的な概念に一致するでしょう。具体的には、その概念によると、すべての『ｐは真である』は、ｐが真である場合に限り真である」という形式の文は真であるとします。タルスキーはこの概念を規約Ｔと呼びます。規約Ｔは、ある言語で記述された論点（引用など）は、その論点が記述されたのではなく、実際に用いられた場合に、それが真であるとします。ですから、「雪は白い」というのは、雪が実際に白い場合だけ真であることになります。この規約を記号で表すと⑲（１５４ページ）のようになります。

ですから、「草は緑だ」という文は、草が緑である場合に限り真です。そして、「草はオレンジ色だ」という文は、草がオレンジ色である場合に限り、真になるでしょう。草はオレンジ色ではないので、この文は正しくありません。しかし、草がオレンジ色であれば、それは真になります。二つ目の条件は、真理の定義が形式的に正しい、つまり、循環してはならず、一貫していなければなりません。形式的に正しいとしたら、その概

⑲

タルスキーの規約T

「φは真である」はφが真である場合に限り真である。

念は矛盾につながることはありません。

6・2 パラドックスをめぐるタルスキーの「迂回」

タルスキーの真理についての説明は対象言語とメタ言語の区別であり、「この文は偽である」という文は、その区別が混同されるため、問題になります。この文は言語（対象言語）を使用し、同時に文を説明（メタ言語）しています。タルスキーの真理の代替概念である充足は、言語を使用し、同時に文を説明することはありません。また、充足可能性は私たちが真理の定義に必要とするものを与えてくれます。つまり、それは物質的に十分で「『pは真である』は、pが実際に真である場合に限り真である」という形式のすべての文は真で、その定義は矛盾や循環性をもたらしません。

タルスキーにとって、これはほかの意味論的パラドックス、つまりグレリングのパラドックスおよび定義可能性のパラドックスを含む、意味や真理にかかわるパラドックスにも当てはまります。私たちはこれらについて、まだ論じていないので、グレリングのパラドックスおよび定義可能性のパラドックスについて短く説明することにします。

グレリングのパラドックスは、それ自体の名に当てはまらない言葉を示すヘテロロジカル（自己矛盾的）という言葉にかかわりがあります。一方、ホモロジカル（相同的）という言葉は、それ自体の名に当てはまる言葉を指します。たとえば、短いという言葉は短い言葉なので、ホモロジカルです。一方、長いという言葉は長くないので、その名に当てはまりません。したがってヘテロロジカルです。しかしここに、ヘテロロジカルという言葉のステータスについて疑問が生じます。ヘテロロジカルという言葉自体はヘテロロジカルなのでしょうか？　ヘテロロジカルという言葉が実際にヘテロロジカルだとしたら、自身の名には当てはまりません。しかし、その名に当てはまらない言葉であるということは、まさにヘテロロジカルの定義です。そして、仮にその言葉がホモロジカルであるなら、その言葉はそれ自体を表します。ヘテロロジカルな言葉は、それ自体には当てはまらないので、その言葉がそれ自体に当てはまらない、かつその場合に限りその言葉はそれ自体に当てはまります。

また、定義可能性パラドックスは、用語や概念が矛盾につながるように定義されているパラドックスです。たとえば、Ａを１００語未満で定義できるすべての正の整数の集合とします。これらの整数は有限個しかないので、Ａに属さない最小の正の整数ｎがあるはずです。しかし、この数は「Ａに属さない最小の正の整数」と定義することができ、ゆえに１００語未満で定義されます。ですから、その数はＡに属すべきで、そうするとその数は、Ａに属し、かつ属していないということになります。

うそつきの場合と同様、グレリングのパラドックスおよび定義可能性のパラドックスに対するタルスキーのアプローチは、一般的な通常の言葉の概念を廃し、それをより問題の少ない充足という概念と置き換えます。この概念は、言語における階層間の区別に依拠しており、ある下位語はそれ自体には言及しません。しかし、これに問題がないわけではありません。ソール・クリプキは、しばしば、ある文が他方の文に言及する組となった文があることを指摘しています（１９７５年）。たとえば、あるレポーターが、批判され投獄されたバーナード・マドフについて「マドフの自分自身の投資会社についての主張はすべて誤っている」と述べ、マドフが「そのレポーターが私の投資会社について言ったことはすべて誤りだ」と返したと想像してください。タルスキーの説明では、それぞれがメタ言語／対象言語の区別に違反しているので、どちらの論点にもおかしなところがあります。しかし、クリプキは、私たちはしばしばそうした主張を理解するだけでなく、それらに真理値を割りあてることができると主張しています。しかし、タルスキーは、自分は自然言語については論じていないので、そうした問題は無関係だと返答するかもしれません。それでも、そうした状況はタルスキーの説明が真理の自然言語概念をどれほど密接に反映しているかについて疑問を投げかけます。

６・３　「迂回する」解決策タイプの分析

「迂回する」解決策はパラドックスの一部の主観確率を下げるものではありません。代わりに、代替概念をつくろうと試みます。その代替概念においては、それぞれの主観確率は高いのに、互いに対立する仮定の集合は存在しません。この解決策に対する自然な反応は、パラドックスによってもたらされる問題を回避することはできるが、パラドックス自体に対しては何もできていないというものです。したがって、この解決策の問題となっているパラドックスへの対応は一時しのぎのものであって、そのパラドックスによって引き起こされた問題を完全に解決できているわけではない、という非難の対象となります。

7 解決策タイプ6：潔く結果に向き合う：パラドックスを受け入れる

一部の解決策では、パラドックスというものは、私たちの概念に欠陥があることを明らかにしているのであり、何をもってしてもこの対立を避けることはできないとします。

7・1 ドルコストオークションに対する「潔く結果に向き合う」解決策

二人のプレーヤーが2・5ドルの資金を与えられ、オークションスタイルの競売で1

一部の解決策では、
パラドックスというものは、
私たちの概念に欠陥があることを
明らかにしているのであり、
何をもってしてもこの対立を
避けることはできないとします。

ドルを落札する状況にあると想像してください。その1ドルは、入札額の高低にかかわらず、より高い入札額を提示したプレーヤーに落札されます。しかし、このゲームでは、2番目に高い落札額を提示したプレーヤーは、自身の提示額と同じ額を払わなければならず、しかも何も得ることはできません。ゲームでは、入札を5セント単位ですることができます。仮に協力することが許されているなら、最もよい戦略は、最初のプレーヤーが5セントで入札し、2番目のプレーヤーは0セントで入札します。二人はあとで、95セントの利益を山分けすることができます。一方、協力が許されていない場合は、最もよい戦略は最初のプレーヤーが資金とゲームの賭け金の関数である入札を行い、2番目のプレーヤーが入札しないことです。たとえば、最初のプレーヤーの資金が2・5ドルで最低入札額が入札ごとに5セントに設定されている場合、最初のプレーヤーは60セントで入札し、2番目のプレーヤーは入札しないことです（バリー・オニールによると、この問題に対する解決策は約2500本の枝を持つゲームツリーから得られる〔1986年〕）。あえて言うならば、普通の人は瞬時にこのような判断をできないので、最も合理的なのは、このゲームに参加しないことです。

しかし、少なくとも二人が参加してゲームが始まると、合理的な推論プロセスの直接的な結果として、入札額は予想外にエスカレートします。最初のプレーヤーが１・00ドルで入札し、２番目のプレーヤーが95セントで入札したとしたら、２番目のプレーヤーは95セントを失います。この損失を回避するには、１・05ドルで入札することです。そうすれば、この人物は「勝ち」、損失は５セントだけで済みます。もちろん、１・00ドルで入札していた人物は同じやり方で損失を避けようとするので、入札額を１・10ドルにします。この人物にとって、１ドルの損失を出すよりは、10セントの損失で済むほうがよいのです。このプロセスは、どちらかのプレーヤーの資金が底を尽くまで続きます。

ゼエヴ・モアズによると、実際にはプレーヤーはゲームに参加し、プレーパターンは際限なくエスカレート（私自身の経験は多少異なります）していきます（１９９０年）。少額の入札額からスタートし、１・00ドル台のあたりでスローダウンし、その範囲を超え、２番目に資金の多い人物の資金が尽きた時点でゲームは終了します。実際には、このゲームに勝者はいません。２番目に高額の入札をした人物はすべてを失い、「勝者」

も、その1ドルの価値をはるかに超える額を支払います。どちらにとっても、ゲームが早く終了するほどよいはずですが、ゲームで打った手一つひとつは、すべて理にかなったものでした。

コスタンザによると、「本当に合理的な対処法は、そもそもこのゲームに参加しないことである。少なくとも二人の入札者がゲームにひとたび参加してしまうと、そこから彼らが合理的に行動した場合、彼らの運命は定まってしまうのである」（出典：モアズ1990年）。しかし、オニールによると、「相手が入札しないことがわかれば、明らかに少額な入札を行うべきである。ゆえに、両者にとってゲームに参加しないのが合理的な戦略で、また相手が合理的なことがわかっている場合は、あなたにとって合理的な戦略はゲームに参加することだと推論できる。これは矛盾である」（出典：モアズ1990年）。

このパラドックスを簡潔に説明すると、一度ゲームが始まったら、入札額が上昇するそれぞれの段階は正当化されます。しかし、この戦略だと、最後に両者とも損害をこうむります。しかし、相手が入札を行わないことを知っていれば、プレーヤーは最も低額でそのドルに対し入札を行うべきです。ドルオークションが始まったら、ゲームにおけるそれぞれのプレーは理にかなっています。しかし、全体として見ると、このプロセスは両者に悪い結果をもたらすので、このようなプロセスにかかわるのは不合理です。ゲーム内のそれぞれのステップはプレーヤーの関心の対象になるものの、総合的な戦略はそれに反するものになります。

このパラドックスは戦争になりそうな二つの国に当てはめることができます。この場合、通常「ゲーム」は開始されてしまいます。モアズによると、「無謀さは、誰も戦争のようなものを望む人はいないため、エスカレートしないよう完璧に制御可能であるという考えを含む完璧に合理的な計算の結果である。両者とも戦争のリスクを操作することで、相手を脅かすことができると信じている。しかし、当事者が戦争に突入すると、どちらも負けるわけにはいかないため、後戻りできないのである」（１９９０年）。またモアズは、次のように述べています。「政治家たちは合理的で慎重であり、対立を回避するために全力を尽くしているからこそ、危機がエスカレートする可能性がある。自分が何をすべきかが相手に大きく依存する相互作用システムでは、両者が物事のコントロールを失わないように互いに試みるからこそ、物事の収拾がつかなくなるのである」（1990年）。

この危機エスカレーションのパラドックスに用いられている推論は、砂山のパラドックスのものと同様、一部の人を悩ませます。ゲームでのそれぞれの行動は砂山のパラドックスの第二の前提のようなものを採用していると考えることができます。個々の行動は正当化されているように見えます。同様に、たとえば、砂山のパラドックスのそれぞれのステップは正当なものに見えます。髪の毛が100本生えた人がハゲだとすると、1本の差というのは極めて小さいため、髪の毛が101本生えた人もハゲということになります。同様にドルオークションにおけるそれぞれの動きは、一度ゲームが始まると、完全に理にかなっています。しかし、砂山のパラドックスと同様、全体としての結果は許容できるものではありません。

このパラドックスに対する一つの反応は、危機エスカレーションのパラドックスは解決できない、と言ってしまうことです。つまり、私たちの最良の行動についての推論がうまくいかない特定の状況があるということを示すものとして、そのパラドックスを受け入れるということです。パラドックスに対する「潔く結果に向き合う」解決策の例である、こうした解決策は、責任回避に映るかもしれません。この種のアプローチでは、腕をまくりあげて解決策を見つけ出すのではなく、解決策は見い出し得ないとします。より徹底的な「潔く結果に向き合う」解決策では、解決策がないというだけではなく、その理由を説明します。スティーブン・シファーは著書『*The Things We Mean*』（２００３年）の中で、この種の解決策を不幸な解決策と呼び、この解決策は、よい解決策を見い出し得ないというだけではなく、その理由にも言及しています。

7・2　砂山のパラドックスに対するマイケル・ダメットの解決策

もう一つの「潔く結果に向き合う」解決策の徹底した例は、マイケル・ダメットの砂山のパラドックスに対する解決策です。ダメットは『*Wang's Paradox*』（１９７５年）の中で、曖昧さの第二の特徴、寛容に似たものを説明しています。彼はこの観測述語の特徴を「識別不可能な差異の非推移性」と呼んでいます。ダメットは「砂を1粒落としても砂山でないものと砂山であるものとの間の差にはならない。これは私たちが砂山と砂山でないものとの間に明確な線引きをすることを選択していないからというだけでなく、観測によって見分けられる差がないからである」（1975年）と述べています。区別できない差は非推移的であり、1粒の砂では違いをもたらせなくても、50粒ほどの砂粒なら結局は違いを生み出せるからです。たとえば、私が誰かに対し、皿の上に塩の山を置くように頼んだとして、仮にその人が塩を1粒置いても、私の要求を満たしたことにはなりません。さらにもう1粒置いても、まだ要求に応えたとはいえません。しかしこれを繰り返すことによって、私が頼んだことを成し遂げることができるでしょう。関係の非推移性を「識別可能なほど異ならない」と指摘することによって、ダメットは曖昧さの一つの顕著な特徴を説明しています。違いを生じない程度の変化（寛容さ）しかなくても、結局はわずかな違いが積み重なって、違いを生み出す何かになるという特徴です。ダメットは次のようなシナリオを説明しています。

「私は何か動いているものを見ているが、それが動いていると私にはわからないくらいゆっくりとそれは動いている。1秒後、それは私にはあたかも同じ場所にあるように見える。しかし４秒後に最初の地点、すなわち４秒前からそれが移動したことを認識することができる。しかし、そのとき、私には、それが１秒前、または３秒前にあった場所と異なる位置にあるようには見えない」（１９７５年）

このシナリオでは、４秒より短い時間内の移動はまったく見分けることができません。ですから、この人物はその物体が元の位置から移動するのを見分ける能力はあるものの、２秒、あるいは３秒前にあったところからその物体が動いているのは見分けることができません。前出の例に基づいて、ダメットはその人物は、その物体がどのように見えるかを表現する試みにおいて、自己矛盾を抱えると述べています。

「私が最初にそれを見た位置に『位置Ｘ』という名をつけ、毎秒口に出してその位置を言うと想定してほしい。最初の１秒後、私は『その物体はまだ位置Ｘにあるように見える』と言わなければならない。さらに、２秒後、３秒後にも同じことを言うだろう。４秒後にはどうだろうか？『その物体はもはや私には位置Ｘにある

ように は見えない』と言う以外に言いようはないと思われる。位置Xは、私が最初にその物体を見たときの位置であると定義されており、仮説では、4秒後、最初に見た位置と同じ位置にあるようには私には見えなくなる。しかし、3秒後の時点で『私にはまだその物体が位置Xにあるように見える』と言った事実から考えると、私は『4秒後の時点で、その物体が3秒後にあった位置とは違う位置にあるように私には見える』と言っているように考えられる。しかし、これはまさに私が否定したいことである」（1975年）

物体の位置を判断する人物は、4秒後の物体の現在の位置を位置Xとは異なると判断し、また3秒後にあった場所と違う場所にあるように見えるという制約を受けます。しかし、その人物は3秒後に生じている違いを見分けることはできません。前出の例から、ダメットは曖昧な述語は「本質的に矛盾している」（1975年）とし、また砂山のパラドックスはこの矛盾を反映していると結論づけています。「間違っているのは、含まれている推論の原則ではなく、私たちの初期の診断のように、帰納的ステップでもない。『小さい』のような曖昧な述語を支配する使用法の規則によれば帰納的ステップは正しいが、これらの規則はそれ自体が矛盾しており、ゆえにパラドックスであるといえる。ゆえに私たちの初期の曖昧な表現の論理のためのモデルは役に立たなくなる。そのような一貫した論理はあり得ないのである」（出典：ダメット　１９７５年）。

７・３　「潔く結果に向き合う」解決策の分析

この「解決策」では、パラドックスを説明し、また単純明快な解決策は得られないと説明するのであり、パラドックスの一部についての私たちの主観確率を下げるわけではありません。この解決策は単に内部対立がどのように生じ、パラドックスのそれぞれの部分の主観確率がなぜそのようになっているかを示すだけです。

この種のいわゆる解決策に対する自然な反応の一つは、この解決策を用いても実際にはまったく解決になっていないというものです。この解決策では、パラドックスを認めるのであり、解決するのではありません。この種の批判は、解決のポイントはパラドックスのどこに誤りがあるのかを指摘することであり、解決策の目的はそのパラドックスが見かけほどやっかいなものではないことを示すことだとしています。次のセクションで出てくるように、解決策に対するこの種の考え（少なくともアリストテレスまでさかのぼる）は、私たち一般人が持つ概念の根底にある一貫性に関して、実際に楽観的すぎるのではないかと考えられます。

8 どの解決策をどの状況で用いるべきか

このセクションは今までのセクションよりも議論を呼ぶものであると思われます。ここでは、私は何かの逆説性が増すほど、最初に示された四つの解決策で扱えるものは減っていくということを、議論を呼ぶことは承知の上で主張したいと思います。「先制攻撃」、「異質なものを除外する」、「ここからそこへは到達不可能とする」、「すべてよしとする」、これらの解決策はパラドックスの議論におけるある種の欠陥を明らかにし、その欠陥部分に対する私たちの主観確率を下げようと試みます。最も浅いパラドックスを除くすべてのパラドックスにとって、これらの戦略は有効ではありません。もっと深いパラドックスでは、より限定された「迂回する」および「潔く結果に向き合う」解決策が唯一の実行可能な選択肢です。しかし、これらの解決策は極めて限定されおり、パラドックスの実際の解決にはなっていないとして批判されることも少なくありません。

この主張に対する議論は第３章に続きます。そこでは、パラドックスに対する解決策の歴史をひも解き、１から４の解決策を用いた試みにおける今までの失敗が、そうした解決策が将来、ほとんどのケースで失敗に終わる運命だということの証拠である、という議論を行います。しかし、ここでは、パラドックスに対して生じた概念の性質に基づいた議論を行います。私が提起したいのは、これらの概念（通常の自然言語による、ハゲ、真理、知識、予測、などといった「素朴概念」）は、多くの場合、私たちの言語的習慣の産物であり、その中では、求められる正確性は限定され、曖昧さや、時には矛盾さえも認められる、ということです。より正確で、欠陥の少ない「素朴概念」を持つには、私たち人間が必要とする以上に認知能力が必要でしょう。また、私たちの信念の中に存在する対立は特別なものでも不自然なものでもありません。こうした対立に対し、ある信念が却下されることがよくあります。しかし、この差を解決するための方法は、個人の決定に属する恣意的な方法しかないということを私たちが認識する場合もあります。ウィリアム・ジェームズが『プラグマティズム』の中で、この点について次のように的確な言葉で触れています。

数年前、山でのキャンプグループに参加し、一人散歩から帰ってきたところ、全員が全員、白熱した形而上学的論争に夢中になっていた。議論の核心はリスであった。木の幹の向こう側にしがみついている生きたリスがおり、その木の反対側に人が立っているという設定であった。その人は、木の周りをすばやくまわってリスを見ようとするが、どんなに早くまわっても、リスも反対の方向へ同じくらい早く動くので、リスと人間の間には常に木が挟まった状態で、どうしてもその人はリスの姿を見ることができない。ここで結果として得られる形而上的問題は次のようになる：その男性はリスの周りをまわったのか否か？　彼が木の周りをまわったのははっきりしており、リスは木の上にいる。しかし、彼はリスの周りをまわったのだろうか？　原野での限りない時間の中で、議論はし尽くされていた。全員がどちらかの立場を取り、頑として譲らず、しかもその数は半々であった。そこに私が登場したので、みな自分の側を過半数にしようと、私に訴えた。矛盾に出くわしたなら明確にしなければならない、という学問の世界の格言を心にとどめ、私は即座に思考し、次のように言った。「どちらの言い分が正しいかは、リスの周りを「まわる」という言葉が何を実際に意味するかによるだろう。仮に君たちが言おうとしているることが、リスの北から東、そして南、次に西、そしてまた北へと通過するという意味なら、その男性はその連続した位置を占めるので、明らかにリスの周りをまわったといえる。しかし、反対に、君たちが言おうとしていることが、まずリスの前、次に右、次に後ろ、次に左、そしてまた前にいるという意味なら、リスの動きのせいで、常にリスの腹は男性の方に向き、背中は反対を向いているため、その男性がリスの周りをまわっていないことははっきりしている。そこを明確にすれば、議論の余地はなくなるだろう。君たちは動詞の「まわる」をある実際的な形で、または別の形で考えているので、君たちは正しくもあり、間違ってもいると思う」。熱くなっていた人々のうちの数名は私の言ったことをはぐらかしだと言った。私は屁理屈をこねたり重箱の隅をつつくようなことをしたかったのではなく、平易で正確な英語の「まわる」を説明していたのだと言ったが、大多数の人はその区別をはっきりさせたことで、議論が和らいだと考えたようであった。（1906年／2008年）

たまに、私たちの「まわる」といった概念が崩れるときがあります。そうした概念には具体性が欠けていたり、本質的な矛盾を含んでいます。次の概念の一覧（⑳）についても考えてみてください。賭けても構いませんが、あなたが一覧に記載されたそれぞれの素朴概念について直観的な理解を持っているのは間違いないでしょう。

素朴概念とは、人々が日常生活の中で使う概念であり、それらの概念なしでは、私たちの生活はきっと成り立たないでしょう。しかし、前出の一覧にあるそれぞれの素朴概念は、少なくとも一つのパラドックスを生み出しています。浅いパラドックスだけでなく、うそつきのパラドックスのように、千年間にわたって存在してきたパラドックスです。

今まで見てきたように、パラドックスを解決するための試みの一部では、素朴概念を

⑳

素朴概念の例

ハゲ、うそつき、期待、空間、合理性、真理、誤り、汚染、知識、善、信念、時間、意図、許し、美、醜さ

パラドックスにつながらない別の概念で修正しようとします。私は、これらを「迂回する」解決策と名づけ、この種の解決策の例には、うそつきのパラドックスに対するタルスキーの解決策が含まれると述べました。こうした解決策は、より正確性が必要とされる場合には便利であるものの、基本的な素朴概念を維持するという意味でパラドックスを解決するわけでありません。「先制攻撃」による解決策は、逆説的概念をつじつまが合わないとして退けます。しかし素朴概念の場合には、それらが私たちの日常生活の中心となる概念を却下することはほとんど意味がありません。パラドックスに対するほかの解決策は、素朴概念ではなく、パラドックスによりつくられた仮定の一部に誤りを見つけるものです。これらを私は「異質なものを除外する」解決策と呼んでいます。すでに見てきたように、これ

らはパラドックスが弱く、欠陥が簡単に見い出されるものに有効です。さらに、「ここからそこへは到達不可能とする」解決策では、パラドックスの推論に疑問を呈するのであって、概念はそのままにし、論理的証明についての私たちの考え方に手を加える手段をよく取ります。つまり、素朴概念は何かを証明しようとする私たちの通常の直観を犠牲にして保たれているのです。さらに「すべてよしとする」解決策は、素朴概念は結局そのようなやっかいな結果を引き起こさないとします。最後に「潔く結果に向き合う」解決策は概念の重要性を認識しているものの、同時にパラドックスは回避し得ないとします。しかし、それぞれの解決策は最も深い哲学的パラドックスに対する簡単な解決策という意味では、提供できるものがほとんどありません。

素朴概念は、通常、認知科学または道徳心理学の文脈で議論されます。たとえば、「信念、思考、恐れ、好み」などの心理学的素朴概念に対する疑いおよび、これらの概念が何を指しているかをめぐる論争は、少なくとも「行動主義」(これらの概念を物理的世界にいかなる根拠も持たない原始的な概念として却下する)として知られる心理学理論が登場したその初期に始まりました。ジョン・ワトソンの格言(１９３０年)にあるように、信念や望みといった概念は「臆病で野蛮な過去の遺産」であり、魔法を指す概念と似ています。行動主義の観点によれば、このような概念は科学的探究の中に居場所がありません。代わりに、科学者は観察や検証可能な現象に集中すべきであり、これが行動の意味するところです。

パラドックスに対する競合する解決策の間に共通理解がないことは、ほかの素朴概念についても同様の結論であることを示唆します。こうした概念は一般の人々には有益であるけれども、正確さに欠け、最終的には矛盾を引き起こすことが容易に示される可能性があります。何があるものを美しいとさせるのかについての私たちの根本的な概念にしろ、誰かがハゲでなくなるには何本の髪の毛が必要であるかにしろ、本当の知識とは何かにしろ、仮に私たちがこれらの概念を十分に調べたとしたら、それらが分解され、極めて強い反直観的な結果あるいはまったくの矛盾にいたる道筋を見い出すでしょう。概念的欠陥があるということはその概念が通常の状況下で有益性が低いことを意味するのでしょうか？　そうではありません。しかし、仮に、特殊な状況で、より優れた概念が必要となれば、代替概念が素朴概念にできないことを成すかもしれません。これにより、パラドックスは「解決」されるでしょうか？　解決はされません。これは大きな問題でしょうか？　私には大きな問題には思えません。

9　結論

何千年にもわたり最も優秀な哲学者たちが、哲学的パラドックスに対し、膨大なページ数を割き、対処法を論じてきました。こうした時代を超えた問題には、最も制約の多い解決策しか存在しないという主張は、哲学的な試みについての非常に悲観的な見方として多くの人を悩ますでしょう。哲学的パラドックスは、哲学そのものと同じくらい古く、私自身を含め、多くの哲学者にとって古い友人のようなものです。しかし、アリストテレスがかつて言ったように、私たちは友人よりも真理を好むに違いありません。パラドックスは、矛盾をもたらす素朴概念に概念的欠陥があることを明らかにするため、解決策1から4を使えない場合が多々あります。では、どのようにパラドックスを解決すべきなのでしょうか？　最も弱い哲学的パラドックスを除くあらゆるパラドックスを最もよく「解決する」には、パラドックスを生み出す概念における根本的な欠陥をパラドックスが明らかにしていることを受け入れる必要があります。代替概念が導入される可能性があり、またこれらの概念が元のパラドックスにより暗示されたいくつかの否定的な結果が生じることを回避する可能性はあるものの、パラドックスにおける誤った考えを指摘するという意味では単純明快な解決策はありません。前提に誤りがある、結論が真理である、あるいは推論に妥当性がないなどの性質に応じて理論体系を構成することができるかもしれませんが、この構成には、パラドックスをもたらす概念とは異なる代替概念をつくることや、パラドックスを最終的に受け入れることが含まれるのです。

第3章

パラドックスを見失ったのか？　パラドックスの解決策の成功（と失敗）

1　はじめに：歴史から学ぶ

砂山のパラドックスを含む古典的な哲学的問題がいまだに満足のいく解決策を得られていないことは、[1]私たちがいまだにそれぞれのパラドックスについて議論していることにより証明されている。（スティーブン・シファー著『*The Things We Mean*』より）

科学哲学において影響力のある議論は、パラドックスについての議論に関係があります。その議論とは、科学の長い歴史を通し、ほとんどの科学理論は誤りであったことが証明され、これらの理論で仮定されたものは実在しないと証明されたという議論です。この過去からの証拠に基づき、現在（および将来）の科学理論の命題は誤っており、また理論によって仮定された存在は、実在しないと結論づけるのは合理的なことです。ラリー・ローダンは、有名な長いリストをつくりました（1977年）。経験によって正しいとされた理論（たいていは、予測に成功して一般に受け入れられた理論）であるにもかかわらず、最終的に却下され、それらの理論用語が意味をなさないことがわかっている理論のリストです。そのリストには、古代および中世の天文学における透明の天球、体液病理説、静的電子の流出理論、天変地異説およびノアの大洪水への関与、燃焼のフロギストン説、熱の振動理論、生理学の生命力理論、円の慣性理論、自然発生説、光学的エーテル理論、電磁気的エーテル理論などが含まれます。

　このようなリストを用いた論法を「悲観的帰納法」と呼びます。この論法は、（真の）科学理論で使用されている用語が実際の物体を指すとする科学現実主義理論だけでなく、哲学的パラドックスに対して解決策候補を提示する理論を含む、他の理論に疑問を投げかけるためにも使用することができます。うそつきのパラドックスのような、古代のパラドックスを例にとって考えてみましょう。初めてうそつきのパラドックスが論じられて以降、２５００年が経過し、その間、うそつきのパラドックスに対し、単純明快な解決策を提示しようという試みが数え切れないほど行われてきました。今日、解決策を提唱する人それぞれが、うそつきのパラドックスを解いたと主張するものの、うそつきのパラドックスは、頑（かたく）なにそうした解決策を拒否しています。

　さらに、競合する科学理論の間に意見の一致が見られないのと同じく、あるいはそれ以上に、パラドックスの解決策については意見の一致が見られません。そうした解決策が膨大な時間と労力をかけながら、多くの同意を得て正しい解決策に近づくという点において、誤った科学理論以上の問題を抱えていることをふまえると、最も深淵なパラドックスに対してとるべき最も合理的な態度は、明快な解決策はないとすることです。

悲観的帰納法は、なぜ、パラドックスに解決策1から4が欠落しているかというパラドックスの理由を提示しません。また、悲観的帰納法のようなタイプの推論により引き出された結論は、演繹的な証明という意味において、決定的であることもありません。しかし、悲観的帰納法が行うことは、特定の研究上の戦略は、おそらく無益であろうと考える根拠を提示することです。哲学の歴史における心身の問題、個人のアイデンティティの問題、そのほかの哲学的問題のように、問題は標準的な意味で「解決」されてきませんでした。議論の条件も変わりました。悲観的帰納法は最も弱いパラドックス以外のすべてのパラドックスに対し、解決策1から4を否定する決定的な根拠を提供するでしょうか？ 「決定的」という言葉が、そのような解決策が失敗する確率が極めて高いことを意味するのだとしたら、この問いに対する答えはイエスです。それが「反論不可能な論理的証明」を意味する場合は、答えはノーです。しかし、第2章の最後で示した概念的議論とあわせて考えると、最も難しいパラドックスにそのような解決策があると主張することは、極めて信じがたいことです。この章では、哲学的パラドックスの解決策についての歴史をひも解くことにより、哲学的パラドックスの解決策に対し悲観的帰納法の推論を展開します。興味深いことに、悲観的帰納法は科学的実在論に対するよりも、哲学的パラドックスへの解決策に対し、より強力な論拠を提示します。悲観的帰納法の批評に対する科学的実在論の標準的な回答は、哲学的パラドックスの解決策として悲観的帰納法を適用する際には、当てはまりません。

悲観的帰納法に対し多くの異議が出され、そのほとんどが、科学の進歩を指摘し、また理論による結果予測に対する信頼度がより高まっていることを指摘するものです。しかし、パラドックスの解決策の歴史には、それほど進展がありません。実際に、古代の哲学者が提示した同じ解決策が現在でも提示されています。さらに、私たちが科学理論で目にする意見の一致のようなものは、哲学的パラドックスに対する解決策には見られません。

しかし、少なくとも異議の一つは適用可能でしょう。ロナルド・ギエールは、科学哲学は規範的であって現実的ではなく、よって科学の歴史は科学哲学とは関連づけることはできないと主張しています。またギエールは、科学哲学者は過去の理論を批判し、そうするためにはこの批判に対し、独立した非歴史立場をとらなければならないとも主張しています（出典：ローダン　1977年）。これを私たちが現在扱っている問題に適用し、哲学的パラドックスの歴史とその解決策との関係について、同様の並行した議論を行うことができます。なぜこの悲しい歴史が、現在提示されている解決策の価値とかかわりがあるのでしょうか？　なぜ過去の失敗が現在の解決策の妥当性を損なわせるのでしょうか？　このような異議は、哲学的方法論における帰納的証拠の役割について、さらなる疑問を提示します。しかし、私たちが現在扱っている哲学的パラドックスの問題について、悲観的帰納法で議論を展開することにはそれほど抵抗はないでしょう。悲観的帰納法による議論は、単にそれまでなされていた概念的議論の裏づけを提供するだけです。

この章では、古代ギリシャ人から現在の分析的哲学者に至る哲学的パラドックスの歴史をたどります。この歴史は、論理学における重要な革新の時期に、ちょうど哲学的パラドックスの特定の黄金時代が重なっているため、当然ながら論理学や数学の歴史と平行しています。まず、パラドックスの起源の説明から始めます。弁証法の始祖であり、空間と運動のパラドックスの生みの親であるエレアのゼノンは、しばしばパラドックスを生み出した最初の哲学者だと信じられています。しかし、彼がパラドックスを生み出すよりもずっと前に、古代の数学者が用いた方法が、ギリシャでパラドックスが出現する基礎となりました。ゼノンも、そしてのちにうそつきのパラドックスを生み出したとされるエウブリデスも、自らの議論の発展のために重要なものとしてパルメニデスの研究に言及し、パルメニデスの教義はほかの教義ほど直観に反しないことを示すために、パラドックスを使用しました。

パラドックスに新たな黄金時代が訪れたのは中世でした。この時代の哲学者たちは、解決困難な命題、実質含意のパラドックス、またまれに、集合を含むパラドックスに、つきせぬ情熱を傾けていたようです。[2] さらに中世の哲学者は、パラドックスの初期の哲学者が行った形跡のないこと、つまりパラドックスに対して競合する解決策を提示し、その解決策を評価するということを行いました。セクション3・2で説明しますが、これらのパラドックス解決の試みは興味深くはあるものの、最終的には無益に終わりました。

ルネサンス期はほかの分野においては再生の時期だったかもしれませんが、論理学とパラドックスにとっては暗黒時代でした。このことについて、ここでは多くは語りません。ルネサンス期には、多くの論理学上の議論が巻き起こりました。また、解決が困難な命題に関する分野を含む中世の論理学テキストは、ルネサンス期になっても大きく改善されることなく使用され、19世紀後半まで使用され続けました。また、科学革命の夜明けとともに、科学哲学に関するある種のパラドックスが出現し始めました。しかし、科学、数学、および帰納的論理学における革命にもかかわらず、パラドックス研究には革命的な進展はあまり見られず、好奇心がそそられるものの、パラドックスの歴史においては例外的ともいえる時代となりました（出典：ウィリアム・ニール、マーサ・ニール　1962年）。

19世紀後半は、ゲオルク・カントールが無限数についての定理を発表し、数学と論理学における分岐点となりました。数学と論理学におけるこれらの発展の結果として、パラドックスが復活しました。まず、中世のパラドックスを連想させる、集合に関するパラドックスが論じられました。集合論のパラドックスはこの時期に現れ、ほかのパラドックスがあとに続きました。20世紀初頭、うそつきのパラドックス、集合論のパラドックス、認識論が関与するパラドックスへの関心が復活しました。20世紀後半および21世紀初頭にもパラドックスは議論の対象となりました。論理学の発展で、度数論的論理、ファジー論理などといった理論はすべて、うそつきのパラドックスや砂山のパラドックスなどの古くからあるパラドックスに、より優れた解決策を提供しようと競い合っています。しかし、どれも解決策1から4のように、単純明快な解決策として普遍的に受け入れられているものはありません(3)。

2　ドクサ(doxa)からパラドクサ(paradoxa)へ：西洋哲学におけるパラドックスの起源について

彼らはあなたのために、高貴な墓をつくった。クレタ人は、いつもうそをつく、邪悪な獣、怠け者の食いしん坊だ！　しかし、あなたは死なない。あなたは永遠に生き、永遠に存在し続ける（エピメニデス〔クレタ人〕『Cretica』）

哲学的パラドックスにおける通念では、パラドックスは古代ギリシャの哲学者エレアのゼノン（紀元前50年頃に成功を極めた）と彼の有名な空間、運動、多数性についての議論から始まったとされています。この見方には、確かに正しい点がいくつかありますが、より正確には、西洋哲学の世界にパラドックスが登場したのは、哲学的領域であると私たちが現在考えている領域内外からの影響力によるものです。ゼノンがアキレスと亀、矢、競争、競技場、そのほかの議論を提起するよりはるか前、パラドックスに構造を与える間接的証明の手法が古代数学に導入されていました。それに加え、ゼノンの師パルメニデスを教えたクセノパネスは、ホメロスやほかの著述者の神学的見解に対する批判の中で、ゼノンの議論と似た論法を用いました。パラドックスの起源を注意深く研究すると、先駆者やゼノンの議論への影響が存在したことが明らかになるだけでなく、古代人がある意味で、パラドックスが生じない理論体系をつくることに重きを置く現代の哲学者よりも優れたパラドックスへのアプローチをとっていたことがわかります。現在、哲学的パラドックスとみなされているものの最初の提議者たちは、現在の議論とやや異なるアプローチをとっていました。たとえば、ゼノンの議論は、少なくとも「パラドックス」という用語が現在理解されている意味でのパラドックスとしては、意図されていませんでした。リチャード・マーク・セインズブリーとニコラス・レッシャーによる、二つの標準的な定義では、パラドックスが実証的証拠の形をとると仮定しています。セインズブリーにとって、パラドックスとは、正しく見える前提から、許容できない結論が導き出されることであり、レッシャーにとっては、パラドックスとは、正しく見える推論を用いた正しく見える前提から明らかな誤りあるいは矛盾した結論が導き出される議論を意味しています。一方、ゼノンは仮説が立てられた場合に、間接的な証明を提供し、矛盾を導き出すことで、仮定が誤っていることを示しています。

それらの論証は、直観的に見るとかなり受け入れがたいものであるため、初期のパラドックスは、しばしば弁証法と結びついていました。弁証法とは、その反対を仮定し、許容できない結果を引き出すことで、命題を証明しようとする推論です。エレアのゼノンは弁証法をよく用いました。事実、アリストテレスは、ゼノンこそが哲学に弁証法を導入した人物であると述べています（出典：ウィリアム・ニール、マーサ・ニール　１９６２年）。

「弁証法」のもととなった古代の用語は、論理を指す最初の専門用語として使用されました（出典：ウィリアム・ニール、マーサ・ニール　１９６２年）。論理のもととなった古代ギリシャ語は、３世紀まで、推論の研究を意味する言葉としては用いられていませんでした。「弁証法」の最も初期の前論理的意味は、「議論」を意味していました。のちに「弁証法」は、反論の手法にかかわる、密接に関連した専門的な意味を持つようになりました。ある意味で、「弁証法の手法」は、のちに「モーダストレンス」と呼ばれるようになった手法を意味するために用いられました。これは、「ＰならばＱであり、Ｑでないならば、Ｐでもない」と主張する推論の規則です。より具体的な使用法には、帰謬（きびゅう）法、つまり、想定された前提と帰謬法からの矛盾の抽出および、想定された前提からの不合理な結果の抽出があります。すべての手法において、許容できない結果が示

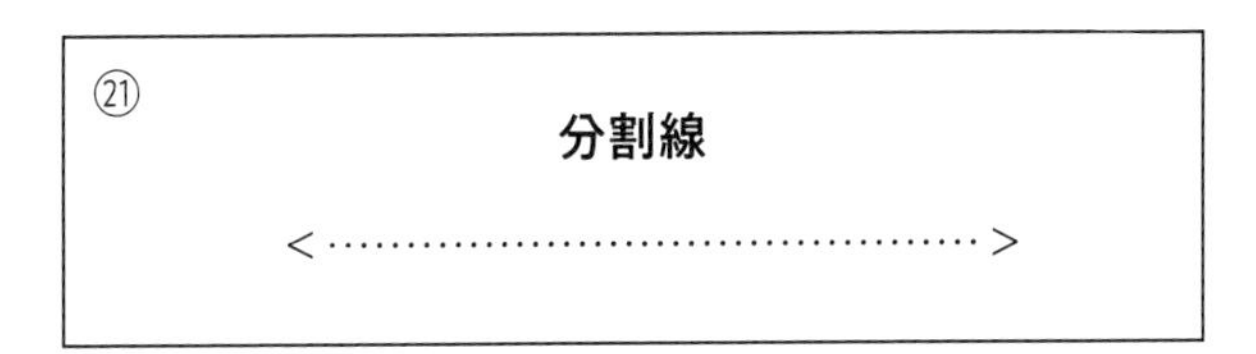

すのは、命題の否定が真となるということです。対応する論理的推論（前提が正しいことがわかっており、そこから正しい結論が引き出される）とは異なり、弁証法では前提が仮定され、そこから許容できない結論が導き出された場合は、その否定が証明されます。

ゼノンは弁証法を用いて、師であるパルメニデスの見解「万有は一つである」に異論を唱えた人々の仮定を批判しました。プラトンの対話篇『パルメニデス』で、ゼノンは、パルメニデスを批判する者が用いるのと同様の手法を用いて、物には多数性があるとする批判者の仮定が、よりおかしな結果につながることを示しています（出典：プラトン　２００５年）。たとえば、㉑の線のように、私たちが通常、複数の部分から成り立っていると考えている物体について考えてみましょう。

線は無数の点から成っていると考えられます。しかし、もしそうならば、各点の長さはどれくらいでしょうか？　仮に各点が極めて小さいけれども、その長さが有限であるなら、その線は無数の点から成っているので、その線の長さは無限ということになります。しかし、各点に長さがないとしたら、各部分の長さは0であるので、その線も長さがないことになります。したがって、私たちが線などについて通常、考えているような複数性は、二つの等しく不合理なことのいずれか、つまり、線は無限に長い、あるいはまったく長さがないという結論につながります。

この種の推論はゼノンのいうところの「大きさ」にも当てはまります。シンプリキオスは、自らの注釈の中で、ゼノンが次のように論じたと述べています。

彼は最初に「仮にあるものに大きさがなければ、それはまったく存在しない」ことを示し、「しかし、それが存在するなら、それは必然的にある長さと厚みを持ち、かつ、ある一定の距離がお互いの間になければならない。そしてこれと同じ推論がその物体だけではなく、それを構成するすべての部分にも当てはまる。というのも、その部分もまた大きさを持ち、それに続く部分があるからだ。このことは一度言えば済む。なぜならそうした部分がほかの部分から独立し、連続性が断たれることはないからである。そのため、存在が多数の部分から成っているとするならば、それらの部分は同時に小さくも大きくもなければならない。大きさがないほど小さいか、無限になるほど大きいかである」と続けた。（出典：デズモンド・リー　1967年）

シンプリキオスは、ゼノンが導き出した結論は、存在が多数の部分から成り立っている（＝多数性がある）のならば、それぞれの部分は無限になるほど大きく、また同時に、大きさがないほど小さくなるはずだ、というものであると述べていますが、この推論から導き出されるべき結論はやや異なります。ゼノンは長さがあると仮定し、矛盾ではなく不合理性、つまり、物は無限になるほど大きいか、あるいは大きさがまったくないかの「どちらか」である、という不合理性を引き出しています。仮に物に長さがあるとすると、それぞれの物はより小さな別の物から構成されており、それは無限に続きます。もし、この物の無限の集合に大きさがないとしたら、それは無なのであり、多数の部分から成り立っている物にも大きさがないことになります。しかし、多数の部分から成り立っている物に大きさがあれば、それは無限の数の部分から成り立っているため、無限大に大きいことになります。したがってゼノンは、物の長さというものは存在しないという結論を下しました。「万有は一つである」ということです。ゼノンは、まず長さが存在すると仮定し、その場合、物は無限に大きくなるか、あるいはまったく大きさを持たない、という結果を引き出しています。これらはいずれも不合理なため、彼は長さというものは存在しないと結論を下したのです。

彼はこの弁証法を運動にも適用しました。アキレスと亀の話の中で、ゼノンは運動に関する通念から始め、そこからどのように矛盾が導かれるかを示しています。アキレスが亀より速いとしても、彼は決して競争で亀に追いつくことができません。仮にその亀がアキレスよりやや前方からスタートしたとして、アキレスは自分のスタート地点から亀がスタートした地点へ到達しなくてはなりません。そうしている最中にも、亀は自らのスタート地点からわずかに進みます。アキレスはその地点にまで到達する必要があります。しかし、彼がそうする間に、亀はまた進み、これが繰り返されます。亀は常に進んでいるので、亀がいた地点にアキレスが到達するまでには、亀の移動速度がどんなに遅くとも、亀はまた移動しています。したがって、アキレスは決して亀に追いつくことはできません。

この議論の説明において、アリストテレスやシンプリキオスのような解説者は、アキレスと亀の議論とほかの議論、二分割法とのつながりを見い出します。後者の議論では、ある人物が地点Aから地点Bへ到達するためには、無限の「旅」をしなければならないので、その人物は地点Aから地点Bへ到達することができない、というのが結論です。AとBをつなぐ線は無限に分割可能です。ゆえにAからBへ移動するその人物は、無限の点を通過しなければなりません。無限の旅を終了することは不可能なので、だれもAからBへ到達することはできません。アリストテレスはこの二つの議論の関係を次のように考えました。

これは、あとから追いかける走者はまず、追いかけられている走者のスタート地点に到達しなければならないため、極めて鈍足の走者が極めて俊足の走者に決して追いつかれないということである。この議論は本質的に二分割法に依拠する議論と同じだが、連続して与えられる長さが半分に分割されない点で異なっている。議論の結論は、鈍足の走者は追いつかれないという結論だが、二分割法の議論と同じ道筋をたどる（どちらの議論においても、何らかの方法で距離を分割することにより、ゴールには到達できないと結論づけられるからである。俊足の走者が鈍足の走者に追いつけないとすることにより、アキレスの議論に劇的効果が生み出されている）。

（アリストテレス『自然学』）

いずれのパラドックスにおいても、運動は不可能であるという結論を引き出すために無限分割可能性の概念が用いられています。亀はアキレスより動くのが遅いため、アキレスと亀の間の距離は次第に縮まります。しかし、亀は常に一定の距離を動いているので、常に動き始めた点よりわずかに前に進みます。亀とアキレスの間の距離は次第に小さくなるにもかかわらず、決して0にはなりません。同様に、二分割法では、ある人物がAからBに到達するための「旅」は無限であるため、その人物は旅を終えることができないことになります。

飛ぶ矢のパラドックスでは、ゼノンは再び、矢のような物体が空間を移動すると仮定してから、この仮定に隠された矛盾を明らかにしています。ゼノンによると、その物体はそれ自体と同等の空間を占めている場合には、止まっています。一本の矢が空間を移動していると仮定しましょう。ある瞬間、その矢はそれ自体と同等の空間を占めています。そのため、ある瞬間にその物体は静止しています。矢が空間を進むために必要な時間はそうした瞬間から成り立っているので、矢は常に静止していることになります。空間は一連の点から構成されているため、矢はAからBに進むにはこれらの点を通過します。しかし、矢は各点でそれ自体と同等の空間を占めます。ゆえに、すべての点で矢は静止していることになります。

ゼノンのあまり知られていない、またあまり完成度も高くない競技場のパラドックスでも弁証法は用いられています。ゼノンは競技場のパラドックスで、3列になった物体があり、最初の列は止まっており、ほかの二つの列が各々同じ速度で反対方向へ移動している場合に、移動している列の一つがほかの2列とすれ違うのに要する時間は、各々

㉒

ゼノンの競技場

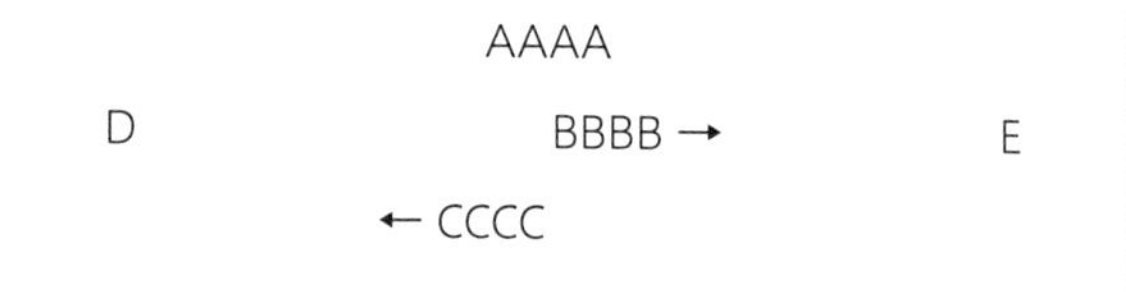

AAAA

D　　　BBBB →　　　E

← CCCC

2倍であり、また半分であることを示そうと試みています。列A、B、Cと、「競技場」の両端のDとEについて考えてみましょう(㉒)。

列Aは静止しており、列BとCは同じ速度で各々が反対方向へと移動しています。列BはAの中間点からスタートしてEの方向へ移動しています。列CはAの中間点からスタートしてDの方向へ移動しています。互いにすれ違うとき、最初のCが4つのBすべてとすれ違うときに、最初のBは2つのAとすれ違います。そのため、ゼノンはBとCは等しい速さで、同じ距離を移動しているにもかかわらず、CはBが通過した点よりも多くの点を通過していると結論づけました。

この議論の欠点は、ゼノンの主張について論じる初期の解説者により、一般に知られるところとなりました。アリストテレスは『自然学』の中で「この議論の誤りは、ある物体が等しい速さで動いている物体と静止している同じ大きさの物体とすれ違うのに同じ時間を要すると仮定している点にある」と述べています。同様に、シンプリキオスは「同じ物体で、あるものは逆の方向へ動き、あるものは静止しているという事実を考慮することなく、無条件に同じ大きさの物体とすれ違うのに要する時間は同じであると仮定している点に誤りがある」(出典：デズモンド・リー　1967年)と述べています。しかし、ゼノンの競技場の議論が彼のほかの議論に比べ、面白みに欠けるとしても、用いられている推論の道筋により、仮定を立て(この場合は運動について)、矛盾がどのように生じるかを示すことに、ゼノンが関心を寄せていることがここでも示されています。弁証法はゼノンのさまざまな議論に極めて強力に適用されており、クセノパネスは神々の性質についてのホメロスの見解を批判する際、初期に同様の手法を用いました。たとえば、リーは、神々の複数性という考えに対するクセノパネスの批判に関するテオプラストスの解釈を挙げています。「神は唯一無二の存在である、というのは自然な考えである。二人以上の神がいるとしたら、神はすべての存在の中の最も力のある最も優れた存在ではなくなるからである……。仮に複数の神がいて、より強いもの、より弱いものがいたとすると、彼らは神ではない。というのは、支配されるのは神の性質ではないからである。同等の関係であったとしても、彼らは神の性質を持たない。なぜなら神とは最も力のある存在だからである」(1997年)。この引用の後半に、クセノパネスは複数の神が存在したとしたら、少なくともそのうちの一人はほかの神より力の弱い存在だろうと主張したと説明されています。最も力のある存在であるというのが神の性質の一部なので、複数の神が存在することはあり得ません。この議論は、仮に多神教が正しければ、誤った結果になると主張し、多神教は誤りであると結論づける際に、モーダストレンスを用いています。

テオプラストスはさらに次のように書いています。

そして、「クセノパネス」は何者かが存在するようになるときには、それに似たものか、あるいは、それに似ていないものから生まれなければならないため、神には始まりがないことを示した。しかし、似たものが似たものから生まれるよりも、似たものが似たものを生むべきだと考えるのは自然ではないとクセノパネスは述べている。しかし、その存在が似ていないものから生まれたとしたら、その存在は非存在から生まれたと考えられる……。仮により強いものがより弱いものから、より優れたものがより劣ったものから、より良いものがより悪いものから出じるとしても、存在が非存在から生じることはない。よって、神は永遠なのである。（出典：リー　１９６７年）

ここでクセノパネスは、神は永遠だ（始まりがない）と主張しています。もし神に始まりがあるとしたら、ある信じがたい結果が生じます。一つには、似たものは似たものから生じるべきであり、クセノパネスは、常に存在すべき神の場合には、これは起こり得ないと考えました。そうでなければ、似たものは似ていないものから生じることになります。クセノパネスにとって、神はすでに存在していたので、それは存在が非存在から生じることを意味します。クセノパネスによると、どちらの選択肢も正しくありません。したがって、神は永遠であり、始まりも終わりもありません。あなたがクセノパネスを単なる詩人ではなく哲学者であると考えるなら、弁証法を哲学に導入したのは彼が最初ということになります。

パルメニデス(クセノパネスの弟子であり、ゼノンの師)は、その有名な詩の中で、類似の手法を用いて神は永遠であると主張しています。彼は次のように書いています。

その方法を説明するのに唯一残っているのは、「存在」という言葉である。これには多くのことが暗示されている。神は創出されず、滅することもなく、全体で、唯一で、不動、かつ完全である。それは現在、統合した一つの連続体であるので、その前にも、また後にも存在しない。神の起源を探ることはできるだろうか？　どのように、いつ、それは生じたのだろうか？　非存在からではないと、あなたは言うしかない。なぜなら、そうではないと言ったり考えたりすることは不可能だからである。非存在から始まって、どのような必要性からそれは生じることになったのか？　かくして、それはやはり存在するか、あるいはまったく存在しないのかのどちらかということになる。(出典：レオナルド・タラン　1965年)

クセノパネスが時間を超越した神について論じたように、パルメニデスは、もし存在が時間に内在するものであれば矛盾が生じるので、存在は時間を超越しているとみなしました。したがって、弁証法はゼノンの師であるパルメニデスと、パルメニデスの師であるクセノパネスにより用いられています。同様の弁証法的手法を用いた最初の西洋のパラドックスは、これらの初期の議論に一部もとづいていると仮定するのは妥当なことです。

ゼノンのひらめきのもう一つの源は、おそらくピタゴラス学派と、ピタゴラス学派が数学の証明に弁証法を使用したことでしょう。こうした証明の例として、２の平方根は無理数であることの証明が挙げられます。ピタゴラス学派は、次のように主張しました。２の平方根が有理数だと仮定して、整数ｎとｍがあり、これらは互いに素数であり、ｎ÷ｍ＝２の平方根であると仮定します。別の言い方をするとｎ ２＝２ｍ ２となります。もしそうであるならば、平方数は平方数の因子でもない素因数を持つことができないため、ｎ２とｎは偶数でなければなりません。しかし、最初の仮定によれば、ｎ

とｍは互いに素数であるので、ｎが偶数ならばｍは奇数でなければなりません。ｎ＝２ｋと仮定すると、２ｍ２＝４ｋ２またはｍ２＝２ｋ２が得られます。同じ推論を繰り返すと、ｍは偶数であることが示されます。ゆえにｎは同時に奇数であり偶数でなければならなくなります。よって、２の平方根が有理数であると仮定すると、矛盾が生じます。ゆえに、２の平方根は無理数となります。

この証明が示すように、ピタゴラス学派はすでにゼノンが彼の証明で用いたのと極めて似通った手法を用いています。証明は、２の平方根は有理数だという仮定から始まり、矛盾が生じました。ゼノンはピタゴラス学派と長い間、知的闘争を行っていたため、ピタゴラス学派の空間についての考えが誤りだと証明するのに彼らの手法を用いました。たとえばプラトンの『パルメニデス』の中で、ゼノンは彼の（現在は失われている）著書の目的を若いソクラテスに説明しています。

この本は実は、「万有は一つである」というパルメニデスの仮定が多くの不条理と矛盾につながることを示してばかにしようとする人々から、パルメニデスの主張を弁護するためのものである。したがってこの本は、長さを主張する人々に対する反論である。この本は、彼らがやっているのと同等かそれ以上の方法でやり返し、徹底的に検討すれば、長さは存在するという彼ら自身の仮定こそが、万有は一つであるという仮定よりもさらに不合理な結果につながることを示そうとしているのである。（プラトン『パルメニデス』128D）

この文の中で、ゼノンが誰のことを指しているかは明確ではありませんが、彼がピタゴラス学派について述べていると考えるのは極めて自然です。パルメニデスは、ディオカイティスの息子で、ピタゴラス学派の手法と似た弁証法を使用しているピタゴラス学派の一人であるアメイニアスと関係があったので、何らかのつながりがあったはずです。すでに、クセノパネスとパルメニデスの批判手法や、ピタゴラス学派が取り組んでいることは知っており、パルメニデスの見解に対する主な反論は反直観的だと感じていたゼノンは、長さがあるとするピタゴラス学派の見解に対し、間接証明手法を使って対抗します。最初のパラドックスは、空間、運動、多数性についての一見常識的な考えが、それほど常識的ではないことを示す試みであり、パルメニデスの見解を反直観的だとして批判した、まさにその哲学者たちの用いている間接的な証明方法を使用しました。

変化は幻想だという極めて反直観的見解は、ほかの哲学学派の嘲笑の的でした。ですから、なぜゼノンが、パルメニデスを批判する者たちの見解も同じように反直観的な結果につながる、ということを示す議論を提起したのか理解できます。ゆえに、さまざまな立場から見た直観性は、哲学的パラドックスの発達に影響を及ぼしました。パラドックスは正しいように見える前提と明らかに誤っているか矛盾した結論をともなう議論であり、私たちの直観に働きかけます。パラドックスは、真実、ハゲ、運動などといった常識的な観念に関する強固な直観と対峙するよう働きかけます。したがって、最初のパラドックスを示した意図は、常識的に思える運動や空間が極めて反直観的な結果をもたらすことを示すためだったと考えるのが妥当です。ゼノンは時に常識（古代ギリシャ語でeudoxa）が、文字通り一般的意見や期待に対抗する、またはそれを超越したパラドックス（paradoxa）につながることを示しました。

したがって、
最初のパラドックスを示した意図は、
常識的に思える運動や空間が極めて
反直観的な結果をもたらすことを
示すためだったと考えるのが妥当です。

知的論争、神学論争、古代数学、そしてゼノン自身も含め、すべては西洋哲学におけるパラドックスの起源にまつわるストーリーの一部です。師であるパルメニデスの見解を反直観的であるとする非難から守るため、ゼノンは弁証法を用いて、パルメニデスの見解である「万有は一つである」を否定することで、より直観に反する結論が導き出されることを示しました。

3　A（アリストテレス）からZ（ゼノン）、そしてそれを超えた解決策の代替概念

私たちが「パラドックス」と呼ぶようになったものは、ゼノンにとっては、パルメニデスの批判者の仮定がパルメニデスの「変化は幻想である」という反直観的な見解と同じくらい不合理な結果を招くことを証明するための議論的手法でした。したがって、パラドックスに対する解決策の起源はゼノンとともに始まったのではありません。うそつきのパラドックスについて最初に論じたとされるエウブリデスの例を見ても、やはりパ

ラドックスというものは、それ自体を解くことを意図しているというよりは、一般的に受け入れられている仮定、この場合は、世界は物の長さから成り立っているとする仮定に対する批判として、論じられ始めたことがわかります（出典：ウィリアム・ニール、マーサ・ニール　１９６２年）。

おそらく、パラドックスに対し、最初の標準的な解決策を提起したのはアリストテレスでしょう。アリストテレスは議論の前提の誤りを指摘することを含め、議論を批判する手法を提起しただけでなく、誤りの中に含まれる一見真実のように思える要素も、彼が「反論」と呼んだ「解決策」の中で説明しなければならないとも主張しました。さらに、アリストテレスはゼノンのパラドックスやうそつきのパラドックスを含む、当時論じられたパラドックスについても多くの議論を展開しています。アリストテレスも、のちの哲学者も、同じような理由でパラドックスの解決に成功しなかったのです。哲学的パラドックスに対する解決策の歴史を広い視野で見ると、さまざまなパラドックスに対し、同じ、あるいは似たような失敗が時代を越えて繰り返されていたのがわかります。

解決策における一般的な失敗の一例は、パラドックスの条件がわずかに異なると、解決策によってもパラドックスを回避できないことです（たとえば、うそつきのパラドックスに対し二分割法の原則は否定するが、排中律は否定しない）。失敗のパターンは、前出の悲観的帰納法の議論に必要な証拠を提供するという点で有用です。また、解決策の歴史を知っておけば、今後、パラドックスの解決を試みる人々が、失敗に終わった一般的な解決手法を回避することもできるでしょう。

3・1　アリストテレスとパラドックスの解決策の起源

ある議論の場で、論じられている対象そのものを持ち込むことは不可能である。私たちはそれに代わる記号として名前を使用する。したがって、ちょうど、計算する人が数を数える道具に対して想定するように、私たちは名前に生じるものは、同様に物事にも生じると仮定する。しかし、この二つのもの（名前と物事）は同じではない。名前は有限であり、式の総和も有限であるが、物事は無限である。したがって、同じ式、そして一つの名前が、多数の意味を持つことになるのは避けられない。計算において、計算に使う道具を使いこなせない者がその道の達人に凌駕されるのとまったく同じように、議論においても、名前の持つ力を十分理解していない者は、彼ら自身の議論においても他人の議論を聞く際にも誤った思考をしてしまう。このため、また後述するほかの理由のため、明らかではあるが現実ではない推論と反論が存在するのである。（アリストテレス『詭弁論駁論』第1巻、第1章）

アリストテレスの現存する著作において、哲学的パラドックスに関する主な議論は『詭弁論駁論』および『自然学』の中に記されています。『詭弁論駁論』においては、パラドックスという言葉はやや大まかに用いられているように見受けられ、時にそれは許容できない結果、または誤った議論を指しています。さらに、うそつきのパラドックスやゼノンのパラドックスに対する対応は、アリストテレスがそれらを誤った議論ととらえていたことを示しており、したがって、彼は誤った議論とパラドックスが二つの異なる種類の議論とは考えていませんでした。相手にパラドックスを言わせるよう誘導する手法を、ソフィストが自らを賢明に見せるために使う手段の一つとしています。次に議論をする者に、議論の相手がパラドックスにつながる命題を自ら口にするよう仕向けることを指示しています。たとえば、彼は次のように主張しています。

繰り返すが、パラドックスを引き出すには、あなたの議論の相手がどの学派に属しているかを知る必要がある。そして、ほとんどの人が逆説的とみなしているその学派の見解について彼に質問するとよい。というのは、その学派もその種の教義を持っているからである。これに関連する初歩的なルールは、自分の主張の中に、さまざまな学派の既成の論点一式を盛り込むことである。適切な解決策は、その議論からはパラドックスが生じないことを明確にすることである。（『詭弁論駁論』）

この文章では、アリストテレスの言う「パラドックス」という言葉が、現代でいうところのパラドックスを意味しているのかはよくわかりません。また「解決策」という言葉を使うことで、パラドックスが扱っている問題には当てはまらないことを示す方法を伝えようとしているようです。

『詭弁論駁論』は論理的誤りとそれらを解決する方法について記したアリストテレスの代表的な著書です。アリストテレスは次の４種類の論法について述べています。

(1) 真の大前提に基づく「論証法」
(2) 常識的な信念に基づく「弁証法」
(3) 弁証法を間違って用いた「相手を言い負かすための論争術」、間違った「共通見解を求める論法」
(4) 論証法を間違って用いた「不健全な論法」

これらの誤謬(ごびゅう)は誤った科学的前提から生じます。アリストテレスの議論の主な対象は、ソフィストによる相手を打ち負かすための論争術の使用で、これらに対し解決策を提示したいと望んでいます。弁証法的推論を誤って模倣する論法を解決するには、二つのことが必要です。まず、その解決策で、なぜその議論が正しい形式の推論を誤った形で用いているのかを説明すること。次に、なぜその議論に説得力があるように見えたかを説明することです（『詭弁論駁論』）。

アリストテレスは、哲学的議論に対する解決策の指針を提示した際、哲学的パラドックスだけに焦点を当てたわけではありませんが、この指針をゼノンのパラドックスやうそつきのパラドックスに対処する際に自分自身で用いています。アリストテレスにとって、うそつきのパラドックスは、「偶然の誤謬（secundum quid et simpliciter）」の例、つまり、ある特定の観点（secundum quid）における物事を絶対的なもの（simpliciter）と取り違える例です。『詭弁論駁論』の中で、アリストテレスはうそつきのパラドックスを、あまり知られていない偽証者のパラドックス（ある人物が自分の宣誓を破ると誓う）に似たものとして扱っています。

その人物がある特定の事例または特定の観点で自分の宣誓を守るなら、彼はまた、絶対的に彼の誓いを守っていることにはならず、しかし彼は自身の誓いを破るとも誓っているので、宣誓を破った場合には、この特定の誓いのみを守ったことになる。その場合、彼は自身の誓いを守っていないし、ある特定の命令には従っているが、一般的な意味で命令に従わない人物を従順な人物であるとはいえない。この議論は、ある人物が同時にあることが偽であり、かつ真といえるかどうか、という問題に似てもいる。しかし、それは難しい問題である、なぜなら二つのつながりのうちどちらで「絶対的に」という言葉が「真」または「偽」で表現されるのか判断するのは簡単ではないからである。しかし、ある事柄が特定の観点あるいは関係において真であるという理由で、絶対的な意味でそれが偽であることを否定することはできない。すなわち、絶対的に真ではなくても、ある観点においては真であるということはあり得る。（出典：ヴィンセント・ポール・スペード　１９８８年）

アリストテレスにとって、その偽証者は、のちに誓いを破る際に彼の誓いを（誓いを破るために）守っています。絶対的にいうと、その人物は偽証者ですが、彼の誓いを破るという誓い「私は私の誓いを破る」に関してはそうではありません。アリストテレスは、うそつきの例は同じ種類のものであり、うそつきの文は絶対的に真ではないが、ある特定の観点においては真であるということを明らかに意味していると述べています。

主張を明確にするために、アリストテレスは次に、うそつきとほかの誤りのある議論との間の類似点を引き合いに出しています。

特定の関係と場所と時間の場合にも同様である。次の種類の議論はすべて、これに依存している。「健康あるいは富は良いものであるか？」「良いものである」「しかし、それを正しく用いない愚か者にとってはそれは良いものではない。よってそれは同時に良いものでも良くないものでもある」「健康あるいは政治的権力は良いものであるか？」「良いものである」「しかし、時にはあまり良くないこともある。よって同じものが、同じ人物にとって良いものでも良くないものでもある」。（『詭弁論駁論』、第1巻、第8章）

ある主張は「一般的には」真かもしれませんが、特定の場合には真ではありません。「私はうそつきである」という文に対し、アリストテレスは一般的には真であるが、その人物の特定の発言に関してはそうではないとしています。しかし、この解決策は絶対的な文脈と特定の文脈を区別するのが可能な場合に限り適用できます。たとえば、仮に私が「私は今、うそをついている」と言ったとしたら、この文が特定の文に言及しているならば絶対的に真であり得ますが、この文そのものに自己言及しているのであれば、真か偽を判断するのは困難になります。

アリストテレスのうそつきのパラドックスへの対応は、よく言っても表面的なものですが、ゼノンのパラドックスに対する対応は緻密で完全であり、ゼノンの複数のパラドックスについて論じています。『自然学』において、アリストテレスは飛ぶ矢について、「しかし、あるものがそれと同じ空間を占め、そしてその移動しているものが常にそのような空間を占める場合、飛ぶ矢は静止しているとするゼノンの推論には誤りがある。なぜなら時間は、長さが不可分のもので構成されないのと同様、不可分な瞬間では構成されていないからである」と主張しています。(『自然学』第6巻、第9章)

ここで、アリストテレスはゼノンの飛ぶ矢のパラドックスに対し、異質なものを除外する解決策をとり、矢は決して動かないという部分を、どの時点でも、矢はそれ自体と同じ空間を占めるのであり、ほかの空間は占めない、という理由で否定しています。アリストテレスにとって、このパラドックスの「除外すべき異質なもの」は、時間と空間が不可分なもので構成されているという仮定です。時間をそれ以上分割不可能な瞬間に分けることはできないので、矢は連続性を持って移動しなければなりません。この仮定を除外すると、矢がある物理的空間から別の物理的空間へ移動するという仮定には何の問題もなくなります。

アリストテレスはゼノンのパラドックスから得られた仮定、つまり、ある物が限られた時間内に無限の数の物を通過することはできないとする仮定に対しても、批判を展開しています。アリストテレスは、次のように主張しています。

ゼノンの、ある物が限られた時間内に、無限の物を通過したり無限のもの一つひとつと接触したりすることは不可能である、とする議論の仮定には誤りがある。なぜなら、長さや時間や一般的に連続するものを「無限」と呼ぶのには二つの意味があるからである。それらが無限と呼ばれるのは分割可能性の観点、あるいは終わりがあるかないかの観点からそのように呼ばれている。そのため、限られた時間にある物が量的に無限の物一つひとつとは接触できない一方で、分割可能性の観点からは時間自体も無限であるから、無限のものと接触可能である。それで、無限を通過する時間は有限ではなく無限であり、無限のものとの接触は有限の瞬間ではなく時間が無限であるときに起こることがわかる。（『自然学』第6巻、第9章）

飛ぶ矢に対する先の解決策にあるように、アリストテレスはここでゼノンの時間のパラドックスに対し、異質なものを除外する解決策を適用し、ゼノンは定量的概念としての無限と分割可能性と関係する概念としての無限を混同していると主張しています。これら二つの無限は交換できないため、空間を無限に分割できると仮定すれば、ある地点から別の地点へ行くのに無限の時間がかかるというゼノンの考えは認められません。

アリストテレスが後世の論理学者やパラドックスの自称解決者に与えた影響は極めて

大きいといえるでしょう。このあと、すぐご理解いただけると思いますが、中世の哲学者や論理学者の解決策において、彼の影響は最も顕著に見られます。

3・2　中世の解決困難な命題（インソルビリア）

解決不可能性について、ある種の詭弁が解決不可能だといわれる理由は、それがどんな方法でも解けないからではなく、困難な方法を用いれば解けるからである。

（オッカムのウィリアム『論理学大全』）

アリストテレスは、哲学的パラドックスに対する標準的な解決策を提供した最初の人物ですが、パラドックスの解決策の議論は、「解決困難な命題」が論理学者によって広く注目された中世後期に最高潮に達しました。中世初期には、うそつきのパラドックスへの言及の多くは、アリストテレスが提示した解決策から派生したもの、つまりうそつきのパラドックスには「偶然の誤謬」が含まれている、というものでした。しかしのち

アリストテレスは、
哲学的パラドックスに対する標準的な
解決策を提供した最初の人物ですが、
パラドックスの解決策の議論は、
「解決困難な命題」が論理学者によって
広く注目された中世後期に
最高潮に達しました。

に、パラドックスの新しい分析法が、パラドックスをさまざまに公式化した形で出現しました。

当時、提示された解決策の数の膨大さと種類は、現在提示されている解決策の多さに匹敵します。現代の解決策と中世の解決策の明確な差は、現代の解決策がしばしば私たちの思考における、ある種の危機に対する反応として生じているという点です。中世の解決策は、確立された理論の危機を示すものとして、パラドックスを考えているようには見えません。また、中世の哲学者はうそつきのパラドックスのさまざまなバージョンについて焦点を当てる傾向がある一方、現代の哲学者は複数のパラドックスに焦点を当てています。中世における「先制攻撃」の一種である制限理論の例を次に示します。これらの理論は、論点で使われている言葉は論点自体には言及できないとして、自己言及に制限を加えようとするものです。

トランスカサス（変化）：初期の制限理論

トランスカサスによる解決策は、うそつきの文「私はうそをついている」を、その文の話者が前に言ったことは偽であるという意味だとして扱います。仮にこの文の前に何もなければ、その文は偽だということになります。同様に、「この文はうそである」という文はその前に来る文のことを指しているのであり、仮にその文の前に何も文がなければ、その文は偽であるとします。このようにうそつきの文を扱う際、この種の解決策の提唱者はその文の言及先を前の文に限定し、前に文がない場合には、その文への言及を否定します。しかし、こうした制限はパラドックスに対する一時しのぎの対応のように思えます。

カセーション（破棄、無効）

「キャンセル」の古語であるカセーションは、ある人物が「私は今うそをついている」というような解決困難な命題を口にした際に、その人物は何も言っていないとする理論の名称です。このカセーションの理論では、うそつきの文の話者が何かを言っているということを否定することで、うそつきのパラドックスに先制攻撃による解決策を提示します。うそつきの文は、この見解によると、欠陥があります。その理由を説明し、うそつきの文を発話する人物が実際には何かを言っているはずだという私たちの主観確率を下げるために、この種の解決策の提唱者は2種類の説明を行います。通常の言語からの単純な議論である最初の説明は、路上を歩いている人物が「私が言っていることはうそだ」と言う誰かに出会ったとしたら、その人物は「あなたは何も言っていないではないか」と反応する可能性が高いだろう(出典：ヴィンセント・ポール・スペード2009年)とするものです。この解決策には、完全に単純明快ではない主張に対して普通の人が持つ疑念以外の根拠はないように思えます。

カセーションの提唱者が、うそつきの文の発話者が何かを言っているとする主観確率を下げようとする際に用いる別の手法は、「何かを言う」とはどういうことかを説明することによって、うそつきの文の話者はそのように言う資格がないと示す方法です。この議論では、「何かを言う」には、その話者は自分が言うことを心でも、また言葉によっても肯定する必要があると説明します。うそつきの文の話者は両方の条件を満たしていたとしても、その話者の行為の中に何か正しくないものがあります。しかし、それが何であるかはわからないままです。インソルビリア(解決困難な命題)の研究者であるスペードは、これは、合成の誤謬のようなものではないかと暫定的に仮定しています。ある人物に才能があり、その人物はチェロを弾くとして、その「才能」がチェロの演奏以外についてのものである場合には、その人物を才能のあるチェロ奏者ということはできないというのが、合成の誤謬の例です。しかし、スペードがカセーションを合成的な誤謬と暫定的にのみ仮定したのは正解でした。いずれにせよ、トランスカサスおよびカセーションの両方の提唱者は、パラドックスに至る文の中に、ある種の誤りがある点を指摘します。よって、どちらもうそつきのパラドックスに対しては、先制攻撃による解決策を提案しています。

ブラッドワーディンの真の理論

うそつきのパラドックスに対して、中世に考えられた先制攻撃による解決策で、最も影響力があるのは、少なくとも、その当時の人々にとっては、トーマス・ブラッドワーディンの解決策です。彼は、命題はそれを構成する言葉によって物事を表し、命題はその節の内容を表し、それが意味することが事実であると主張する、真理論を提案しました。命題は、それらが正しいことを表している場合に限り真であり、それ以外は偽であり、ある命題から生じるものは何でもその命題によって表わされると説明しました。命題は、それから生じるものが事実である場合に限り真です。この説明では、すべての命題はそれ自体が真であることを意味します。うそつきの文の場合、うそつきの文はそれ自体が偽であることを意味します。しかし、この理論に基づくと、その命題はそれ自体が真であることをも意味します。しかし、うそつきの文が表現しているその命題は、それが意味することすべてが正しい場合に限り真となり得ます。もしうそつきの命題が真なら、それは偽になります。しかし、命題が真となるためにはその命題から生じるすべてのものが真でなければならないため、議論が元に戻って、うそつきの文が真であることを示すことはありません。簡単にいうと、命題から生じるすべてが命題によって表されているため、そして命題は、それが意味することすべてが正しい場合に限り真なので、「私はうそをついている」という文で表現される命題は、何かが正しくないことを意味しており、したがって、それは偽ということになります。

そうすると、うそつきの文は偽であることが判明したため、パラドックスは解決されます。その理由は、それが偽であることを示すことに加えて、それが真であることをも意味しているからです。そして、そのようなことはあり得ません。

しかし命題から生じるものはすべて命題によって表されるという理論の仮定について、一つの差し迫った疑問が生じます。この仮定は私には直観に反したもののように感じられます。一方には命題が表すものが存在し、他方には、命題から生じるものが存在します。一つの命題から多くの事柄が生じるため、その説明は、命題が何かを表すということの意味についての、極めて肥大化した概念を結論としてもたらしているように見えます。[4]

ハイテスベリーと立証責任

解決困難な命題における興味深い解釈を提供したのは、ウィリアム・ハイテスベリーです。彼は、解決困難な命題は、ある限定された文脈の中でのみ逆説的なのだと主張しました。マーガレットがうそをついている、というのがパラドックスになるのは、彼女自身についてのこの主張を行っているのがマーガレット本人である場合に限定されるとしました。ハイテスベリーは、自分はうそをついているとマーガレットが言っている場合、「マーガレットはうそをついている」という命題には、言葉が通常意味するもの以上の意味があると主張しました。そして、これはユニークな戦略といえますが、ハイテスベリーは、その追加の意味を提示するための立証責任は自分にはないと述べていま す。スペードは、「つまり、ハイテスベリーの戦略は『あなたから私に〝マーガレット〟の論点の意味を正確に教えてください。その上で私はあなたが説明していることが可能かどうかを説明し、仮に可能であれば、私がその論点が真か偽かをあなたに説明しま す』ということである」（２００９年）と述べました。私には、これは正道をはずれたやり方のように思えますし、同時代の思想家たちもまったく同感だったようです。ほかの人々は、その追加の意味もその命題は真であることを表していると述べました。言い換えると、のちの思想家たちは、ハイテスベリーの理論にブラッドワーディンの理論を少し追加したのです。

結論

解決困難な命題に対して提案された対処法をいくつか見てみると、パターンが浮かび上がります。パラドックスの解決策は先制攻撃の戦略を取る傾向にありますが、それぞれ、なぜうそつきの文が「何も言っていない」のか、あるいは偽であるのかについて異なる説明をしています。興味深いことではありますが、提案された中で、パラドックスの決定的な解決策を提示しているものは一つもないのです。

3・3　カントの解決策とその二律背反（にりつはいはん）

パラドックスに対する最も好奇心をそそられる対応の一つが、哲学者イマヌエル・カントの対応で、彼は『純粋理性批判』の中で多くの二律背反について、詳しく論じています。二律背反は、よく二つの原則の間の対立として定義されます。二律背反は、通常それ自体ではパラドックスとはみなされませんが、本書の序章で示されたパラドックスの本質的な特徴のいくつかを含んでいます。つまり、それらはどちらも十分支持されているものでありながら対立し合う主張です。カントの二律背反の概念に最も近いのは、それぞれは真実に見えるが合わせると互いに相反する論点の集合がパラドックスである、というパラドックスの説明です。カントにとって、二律背反は、相互に矛盾するが合理的な二つの結果の組み合わせです。互いに矛盾する二つの主張（たとえば、自由意志があり、自由意志がない）は、カントがテーゼとアンチテーゼと呼ぶものであり、それぞれは一見説得力のある議論の結論です。二つの対立する主張があり、それぞれは説得力ある証拠に裏づけられています。ですから、それらはしばしばパラドックスとは違うものとみなされますが、カントの二律背反は、二つの対立する主張に対し、それぞれを支持する説得力のある議論が展開される、パラドックスの一種といえます。

『純粋理性批判』の中で、カントは四つの主な二律背反に焦点を当て、それぞれの対立する結果について一つひとつ論じています。たとえば最初の二律背反は空間と時間が有限であるかに関するものです。この二律背反を議論するセクションの一方で、カントは、時間には始まりがあり、その空間には限界があるという議論を提示しています。言い換えると、「世界」には始まりがあり、その「世界」には物理的な限界があるという議論が提示されています。そして他方で、カントは、空間や時間にはそうした限界がないとする議論を提示しています。どちらの議論も間接証明の形式を取っており、そこでは、ゼノンによる議論のように、証明の対象を否定する仮定がまず立てられ、それから矛盾が引き出され、そうすることで、その対象を否定することが偽であることを証明します。つまり、証明の対象ｐは、真ではないと仮定します。そして、ｐの否定（すなわち、ｐは偽である）を仮定すると矛盾、または明確に誤った結果が出ることを示します。そのようにすることで、ｐは真であると結論づけます。カントの主張する第一の二律背反の議論は、ともに背景にある仮定を前提として正当化されます。表６（２３５ページ）に、それらの表現を簡単に書き換えたものを示します。

二律背反の左側はゼノンと、彼の空間と運動のパラドックスに似ていて、無限の分割可能性は無限の「部分」をともなわないという主張を通じて、簡単な解決策を示唆しています。右側は、級数の制限を思い浮かべる人もいるかもしれません。

しかしカントは、最初の二律背反を扱うにあたって、形而上学的な問い、たとえば世界に時間や空間の始まりがあるかどうか、自由意志があるかどうか、そして全世界は不可分の原子で構成されているかどうか、といった質問には満足のいく答えが得られないとする見解に基づいた方法を取っています。カントにとってこれらの問いは「純粋理性の概念」を不当に用いようとする試みを含む、感覚経験とのつながりのないものです。カントの有名な主張(『純粋理性批判』)にあるように、直観(感覚経験を含む)のない概念は空虚です。私たちは決して、感覚を通して得られる限られた経験からは世界の全体について、推測することはできません。カントにとって、このように「世界」を理解できるものと考えることは重大な誤ちであるといえます。つまり、世界を自分自身の限られたリソースによって理解できる「物自体」としてとらえるのは誤りであるというのです。

カントのすべての二律背反と同様に、左側は限られた経験を超えて思考する私たちの合理的能力を説明しています。私たちは無限という概念から始め、現在の前に無限の連続する瞬間や無限の空間はあり得ないと結論づけます。右側は、私たちを経験の領域に引き戻します。どちら側も世界が存在し、この世界は私たちに認知可能だと仮定しています。また、どちら側も世界は空間や時間において有限である、あるいは無限であると仮定します。私たち自身の限られた経験とは無関係に、全体として理解できる世界があ

表6　カントの第一の二律背反、簡易版

世界は(i)時間と(ii)空間において有限であることの証明	(i)世界は時間と(ii)空間において有限ではないことの証明
(i)まず、世界に時間的な始まりがなかったと仮定する。これが正しいならば、現在に至るまでに無限の瞬間があったに違いないが、ある無限の系列において、その系列が連続して完了することは不可能である。そこで、無限の系列が現在の瞬間より前に過ぎ去ることは不可能である。ゆえに、世界は時間的な始まりがなければならない。 (ii)まず、世界は空間において無限であると仮定する。つまり、世界は部分が集まった無限数で構成された無限の全体と仮定する。しかし、世界を無限の部分から成る全体と考えることは、全体を構成するために部分を共に追加することを意味する。しかし、部分の数が無限であることをふまえると、これは実現不可能である。無限の物の集合は、無限に部分を追加する必要があり、これを行うことはできないので、無限の物の集合があるとは考えられない。	(i)まず、世界に時間的な始まりがあったと仮定する。これが正しいならば、世界が始まる前の時間、言い換えれば、空虚な時間があったことになる。しかし、空虚な時間を過ぎ去ることができるものは何もない。なぜなら、そうできるのであれば、それは空虚ではないからである。そこで、世界が空虚な時間から生じることは不可能である。残るのは実際の時間のみである。ゆえに、世界は時間的な始まりを持っていなかったはずである。 (ii)まず、世界は空間において有限であると仮定する。つまり世界は空間的な限りがあり、その後に空虚な空間があると仮定する。しかし、世界は空虚な空間と関係することはできない。なぜなら空虚な空間は定義により空虚であり、空虚な空間で世界を関連づけることができる物体はないからである。有限に対応する物体は存在しない。ゆえに世界に空間的な限りがあることはありえない。

るという仮定においては、両方の議論に欠陥があります。パラドックスとして考えられた、世界は空間と時間に関して有限でかつ無限であるとする矛盾する結論は、世界は物自体として認識可能であるとする誤った仮定の結果です。ですから、カントのこの二律背反に対する解決策は、パラドックスにより得られた仮定を否定するという点で、異質なものを除外する解決策に最も似ています。

カントの二つ目の二律背反は、私たちの感覚体験とは独立して認識される「世界」の概念に再び焦点を当てている点で、最初の二律背反に似ています。どちらの二律背反も異質なものを除外する解決策を取っています。二つ目の二律背反にとって問題は、世界は単純化できない実体（物質）から成っているのか、あるいは世界は無限に分割可能なのかどうかということです。表7の二律背反の表の左側で、カントは世界が単純な部分から成っているということを証明し、右側では何物も単純な部分からは成り立たないということを証明しています。

カントにとって、この二律背反は両方とも、最初の二律背反の証明によって導き出された誤った仮定、つまり、全体としての世界は私たちの直観（すなわち感覚体験）とは

表7　カントの二つ目の二律背反、簡易版

すべての複合物質は単純な部分から成っている(ゆえに無限に分割することはできない)ということの証明	単純な部分から構成されているものは何もない(そしてすべてのものは無限に分割可能である)ということの証明
証明：(1) 複合物質は単純な部分から構成されていないと仮定する。つまり、それらは無限に分割できると仮定する。 (2) 仮に、無限に分割可能な実体の理念から組成の理念すべてを取り去ると何も残らない。また基本的な物質も存在しない。 (3) そのため、無限に分割可能な実体は単純な物質からは構成されていない、あるいは組成とは無関係に存在する何か、すなわち単純な物質が残っていなければならない。 (4) しかし、複合物質はいくつかの物質から構成されなければならない。そうでない場合は、何ものからも構成されない。 (5) したがって、複合物質を構成する単純な物質が存在する必要がある。	証明：(1) 複合物質は単純な部分から成っていると仮定する。 (2) この複合物質のすべての部分は空間的位置を占める。 (3) 仮に何かが空間を占める場合、それは複合実体である。 (4) したがって、複合物質のすべての部分はそれ自体が複合物である。

独立して理解し得るという仮定に依存しています。したがって、両方ともに誤りであることになります。私は、カントがこれらの二律背反に対し異質なものを除外する解決策を適用していると特徴づけてはいますが、心から独立した現実に関する問いを探し、答えを見つけることは、理性からわき起こる欲求であることを彼が認めていることをふまえると、カントのアプローチが完全にこの分類に当てはまるわけではありません。双方の二律背反は私たちの理性の限界を超えようとする試みの結果ではありますが、それにもかかわらず、理性がその限界を超えようとして失敗することは不可避です。この意味で、このような二律背反は避けることができません。この結果はカントの解決策が潔く結果と向き合う要素をあわせ持っていることを示唆しています。

次の二つの二律背反(表8)では、カントの戦略は異質なものを除外する/潔く結果と向き合うアプローチから、すべてよしとするアプローチにより近いものに移行します。この二つの二律背反の両方はともに矛盾をもたらすかのように見えますが、より深く見ると矛盾はなくなります。三つ目の二律背反は自由意志と決定論に関するものですが、議論の中心は因果関係の概念と、事象の自然な連鎖から外れたところに存在し、絶

表８　カントの第三の二律背反、簡易版

意志の自由はある	意志の自由はない
まず、意志の自由はない、つまり自然法則により決定された以外の因果関係はないと仮定する。そうであれば、生じたあらゆる事象は、その原因となるある事象にさかのぼることができる。しかし、これを繰り返すと、原因の無限の回帰が生じるだろう。仮にそうならば、絶対的な因果関係というものは存在せず、あるのは相対的因果関係のみである。しかし、自然法則は、「何事も先験的に十分に決定的な原因がなければ起こらない」と述べている。そのため、自然法則から独立しては因果関係は起こらないと仮定すると、矛盾、つまり絶対的な因果関係はないという結論になる。よって、自然法則の外に存在する何らかの因果関係が少なくとも一つはあるに違いない。それは「自然法則に従って進行する現象の系列を自ら開始する、絶対的な自発性を持つ何かである。これは先験的な自由である」。	まず、意志の自由はあると仮定する。言い換えると自然法則に決定されず、代わりにそれ自体を絶対的に決定づける因果関係が存在すると仮定する。ほかの事象をもたらすこの因果関係はそれ自体が事象であり、すべての事象には事前に決定された原因があるとする自然法則に反するものである。それはまた、感覚経験を超えたところにあり、カントが「空虚な思考」と呼んだものである。「仮に自由が自然法則により決定されるとしたら、それは自由ではなく、単なる別の名の自然法則である」。

対的自発性を持つ何かがあり得るかどうかに集中しています。

この二律背反の左側は、因果関係の概念はそれ自体が、その外側に何か、つまり、先験的に因果の連鎖を開始するのに十分な、絶対的な原因があることを前提とするものだ、と主張しています。一方、右側は、そうした因果関係があると仮定し、これもまた、事象には原因があり、私たちが事象を観察することで理解可能な自然の秩序があるとする、自然法則に反することを示します。カントにとって、私たちが現象の世界と私たちを取り巻く世界に対する感覚経験が「物自体」であるという仮定を放棄する限り、これら二つの証明は両立します。この仮定を放棄した場合、私たちは理性によって超越的自由があることを(左側)、また同時に世界に対する感覚経験によって、あらゆる現象は因果関係の法則に従っていると仮定する必要がある、と考えることができます。

前述の二つの二律背反のそれぞれにおいて、カントはどちら側も、ある意味、妥当な議論だと述べています。しかし、彼は対立するように見える結論には、実は矛盾は存在しないのだと主張しています。したがって、これら最後の二つの二律背反に対する彼のアプローチは、すべてよしとするアプローチに極めて似通っています。

四つ目の二律背反のケース（２４３ページ表９）では、私たちが、現象はそれら自体が「物自体」なのだという概念を放棄したとすると、どちら側の二律背反も互いに平和に共存することができます。左側の推論は、必然的な存在という概念を伴いますが、一方、現象（感覚経験の世界）はそうしたものは存在し得ないということを証明しています。

カントにとって、両方の二律背反に対する「解決策」は、私たちに見える世界である現象界（フェノメノン）と、「物自体」として私たちから独立した、私たちの感覚経験を超えた世界、あるいは、カントが叡知界（ヌーメノン）と呼ぶ世界のはざまに存在します。カントは二律背反というパラドックスの興味深い変種を提示する一方、これらのパラドックスを処理するのにいくつかの標準的な解決策を用いているのです。

3・4　のちの時代におけるパラドックスの解決策

現代哲学において、パラドックスの解決策を提示するために論理的システムを用いるということがどのようなものか、普遍的感覚を説明するために、ちょっとした話をします。数年前に学会で北京（ペキン）に滞在した際、私はさまざまな理論体系を概説する多数のセッションに出席しました。その中には、度数論、重評価論、ファジー論理、矛盾許容論理、およびギャップ理論などがありました。各セッションの終わりに、発表者は自分の推す理論体系がうそつきのパラドックスなどの重要なパラドックスをどのように処理するのかを説明します。そうした発表の一つに出席したあと、友人と談笑しながら昼食に向かう途中、私は、その学会の感想を彼に求めました。彼は、「地元の見本市へ行くようだ。ただし、違うのは『これが私の牛です。この牛は歌を歌えます』という代わりに『これが私の論理です。この論理は、これらのパラドックスを解決できます』というのを聞いている点だ」と答えました。彼の回答は、今日さまざまな新しい論理が市場に出回っている現状をよく言い当てていたため、私の心に深く残りました。新しい理論体系の提唱者は、この新しく「より優れた」、真、偽、含意についての思考法を紹介することで、その理論体系のもとでは、いかにパラドックスが生じないかを示そうとします。それ以来、私は前出の分類法におけるそれぞれの解決策に当てはまるこれらのアプローチを、友人に敬意を表して「歌を歌える私の牛」アプローチと呼んでいます。

表9　カントの第四の二律背反、簡易版

絶対的に必然的な存在（神など）は存在する	絶対的に必然的な存在（神など）は(i)世界にも(ii)世界を形づくった要因としても、存在しない
知覚可能な世界は変化する。これは、私たちが変化なくしては時間の概念を持つことさえできないということを考慮すると、明白なことである。知覚可能な世界で生じるそれぞれの変化は、現在の変化を必然的な存在にするその前の変化がある。しかし、一般的に考えて、すべての変化は絶対的な必然性によりもたらされなければならない。カントは、「ゆえに変化は絶対的に必然的な存在の結果として存在しており、絶対的に必然的な存在を認めなくてはならない」と書いている。したがって、絶対的に必然的な存在は存在するに違いない。さらに、この必然的な存在は知覚可能な世界に存在しているはずである。そうでなければ、変化というものがなぜ起こり得るであろう？ゆえに、カントの言うように、この必然的な存在は「時間と現象に属している」に違いない。よって、この必然的な存在は、世界に一時的に存在しなければならない。	(i)世界における絶対的存在を考えるにあたり、そうした絶対的に必然的な存在があると仮定する。そうであるならば、時間の中で起きる変化の系列に、絶対的に必然的でかつ原因を持たない始まりが存在するか、あるいは時間の中で起きる一連の変化に始まりは存在しないことになる。しかし、最初の選択肢は、すべての現象は時間の中であらかじめ決まっていなければならないとする法則と対立するため、適切ではない。二つ目も、必然的ではあるが、絶対的に必然的な要素を持たない系列があると仮定すること自体、その選択肢に矛盾するため、同様に適切ではない。 (ii)世界の外にあって、世界で起きるすべての事柄を引き起こしている絶対的に必然的な存在に関して。そのような存在があると仮定すると、その要因は、知覚可能な世界で起こるすべての変化の始まりとなる。

表10　現代の理論体系とその用途

論理	使用例
3値論理	SQLデータベース言語で使用
ファジー論理および度数論理	エアコンのファジープログラミング、手書き文字認識、信号などでの使用
集合論	数学の基礎研究、分子集合論の基礎で使用
超付値主義	川のように曖昧に定義されたもののマッピングを支援
ベイズ主義	科学的証拠の分析に使用
意思決定論	特定の事業判断において想定される金銭的価値（EMV）を決定するリスク分析で使用
ゲーム論理	経済的行動を含む人間の行動の分析や進化論で使用

すでに前の章で、これらの論理のほとんどを、ある特定のパラドックスの解決策とともに簡単に論じましたが、今度はそれらをグループ単位で見てみましょう。現代の論理体系について興味深い点として私の心を深くとらえたのは、最も深淵なパラドックスへの適用という面では疑問が残るにもかかわらず、それらの論理体系がほかの分野では極めて有用だという点です。現在提案されているさまざまな現代論理学を生み出すきっかけとなった多くのパラドックス

が、今でも決定的な解決策のないままになっているにもかかわらず、これらの論理には多くの実用的な応用例があり、少なくとも哲学以外の分野への応用という観点から見ると、成功を収めています。表10は、これらの用法の簡単な一覧表です。この一覧表は解決策とパラドックスについてのさまざまな思考法を示唆しています。パラドックスはすぐに解決してしまわなければならない問題ではなく、むしろ人々の素朴概念をより正確で有用なものに変える推進力であるのかもしれません。

3・5　解決策の調査についての結論

解決策とパラドックスの歴史の流れを見てきました。その流れを完全に網羅することは到底無理ですが、それでもいくつかの結論を合理的に導き出すことはできるでしょう。第一の結論は、最も難解なパラドックの解決策に関しては、いまだ意見の一致が見られていないということです。第二の結論は、数学的進歩や科学的進歩の時代に解決策やパラドックスが出現し、進歩の推進力になっていることが少なくないことです。最も深淵な哲学的パラドックスに対し、多くの解決策が提示されていますが、そうしたパラドックスはいまだに解決されるに至っていません。しかし、解決策自体は興味深く、有用なものだといえます。

4 新しい科学、新しいパラドックス

パラドックスは、明らかに対立する主張に含まれる真実に対し、私たちが持つ強固な直観にかかわりがあります。パラドックスは、真実、知識、将来の予想、合理的な選択などといった事柄に対する私たちの極めて強固な直観がどのように対立するのかを明らかにします。そして、最も深淵なパラドックスは、そうした事柄についての私たちの現在の思考の中に根本的な誤りがあることを示します。物質、現実、自由、空間、時間、合理性、思考、そのほかの事柄など、根本的概念についての私たちの思考に疑問が投げかけられるにつれ、これらの事柄をより正しく理解するための新しい論理が登場するのは当然の成り行きです。そして、これらの新しい論理や理解はさらなるパラドックスをもたらします。このため、新しい理論の結果として、新しいパラドックスが生み出され

第二の結論は、
数学的進歩や科学的進歩の時代に
解決策やパラドックスが出現し、
進歩の推進力になっていることが
少なくないことです。

ています。この最後のセクションでは、これらがどのように起きるかについて考察します。

4・1 パラドックスの解決策の科学

哲学者であるカール・ポパー、トーマス・クーン、イムレ・ラカトシュは、それぞれ科学の進歩について、具体的には、理論あるいは研究プログラムがどのように互いに置き換わっているかを説明しています。パラドックスや解決策は独自の方法でそれぞれの説明に登場します。ポパーの説明では、パラドックスがただちにかつ完全に解消されなければ、ある理論から生じたパラドックスはその理論が誤りであることを立証します。クーンは、パラドックスや彼が「パズル」と呼ぶものは、それらが増殖し、ほかの勢力（往々にして社会学的な勢力）が今現在のパラダイムに疑問を投げかけるようになるまでは、パラドックスやパズルを生み出す科学論理と平和的に共存可能であるとしています。一方、ラカトシュは、パラドックスは存在し得るものであり、研究プログラムの重要ではない、いくつかの要素が誤りであることを立証することは可能であるけれども、

最も深淵な哲学的パラドックスに対し、
多くの解決策が提示されていますが、
そうしたパラドックスは
いまだに解決されるに至っていません。
しかし、解決策自体は興味深く、
有用なものだといえます。

プログラムの中核部分を変えることはないとし、パラドックスやほかの問題に直面した際に変更できるのは、プログラムによって立てられた仮説のうち、重要でないものに限られると主張しています。厳密にいえば、研究プログラムは誤りであると立証されなくとも、新しく正しい予測がいくつ得られたかに基づき、前進または後退していきます。

　ポパー、クーン、ラカトシュの視点を通すことで、パラドックスの科学の歴史的進歩に対するかかわりだけではなく、パラドックスの解決策の歴史的進歩をも考察することができます。そうすると、ほとんどのパラドックスに対する解決策にはまったく何事も起こっておらず、標準的な意味で「前進」に近づいてさえいないことがわかります。私は、これを演繹的証拠とし、標準的なパラドックスの解決策は、断じて機能していないと結論づけます。

4・2　ポパーの説明

　ポパーは、クーンやラカトシュと同様、科学の進歩について初期の科学的経験主義とは明確に異なる見解を持っています。この初期の見解では、科学の進歩は、事実を数多く積み重ね、ある科学的理論が以前の理論に完全に取って代わるのではなく、取り込んでいくというものです。科学的経験主義者の見解では、進歩にはより新しい、より一般的な命題（定理）の獲得がともないます。一つの理論がほかの理論に置き換わるのではなく、古い論理をより一般的に受け入れられている説明に取り込みます。この見解で暗に示されるのは、理論は原則として反論可能だけれども、科学的命題がさらなる研究によってくつがえされることは、ほとんどないという考え方です。

ポパーは著書『科学的発見の論理』（１９５９年）の中で、これに代わる考え方として、科学の進歩を一連の「大胆な推測と反論」により起きるものとして描いています。科学者は仮説を提起し、それに反論を試みます。これにより、仮説の結果が推論されて検証されます。経験的証拠が結果を裏づけるものであっても、仮説は却下されもせず、「検証済み」ともみなされません。それは単に一つの検証にパスしただけであり、まだほかの検証を受けなくてはなりません。

科学理論から生じるパラドックスに関しては、ポパーはほとんど言及していませんが、これは、彼が経験的証拠に焦点を当てていたことをふまえると理解できます。しかし、いくつかの科学パラドックスは驚くべき結論の発見により生じています。例として「汚染のパラドックス」と呼ばれるものを考えてみましょう。

4・3　汚染のパラドックス

「汚染のパラドックス」は脆弱(ぜいじゃく)なパラドックスですが、新しい科学が科学の基礎概念の再評価をうながす新しい発見をもたらす例証です。このパラドックスは汚染という事柄に対する直観がいかに誤解を招きやすいものであるかを説明するものです。通常、産業汚染は良くないものとされています。産業汚染の問題を最もはっきり認識することができるのは、中国の北京のような場所であり、そこでは酸性雨、温室効果ガス排出、乾燥がより進んだ砂漠地帯で発生する砂塵嵐(さじんあらし)などについての懸念が高まっています。しかし最近、中国の一部の科学者により、酸性雨は汚染の一形態でありながら、別の汚染形態である温室効果ガス排出量削減に関与していることがわかりました。メタンの削減に加えて「酸性雨の硫酸塩成分は米の生産量を増加させている可能性がある」と、このパラドックスを説明する研究の著者であるガウシ博士は示唆しています（出典：マリオン・オサリバン　2008年)。この研究は、汚染を排出する企業による悪用を懸念しつつも、今まで認識されていなかった環境におけるさまざまな要素間の相互作用を概説し、産業汚染のすべてが悪であるという既存の概念が完全に正確なものではない可能性があることを示唆しています。

ポパー学派の説明によると、すべての汚染が環境に悪影響を及ぼしているという仮定は、これに必ずしも当てはまらない例が存在することによって、誤りであることが立証されています。したがって、この仮定は却下する必要があります。驚くべき逆説的な結果に結びつく仮定の形態をとるパラドックスは、仮説の誤りの立証につながります。

ポパーの説明は科学理論に適用される説明です。しかし、真実とうそつきのパラドックス、曖昧さと砂山のパラドックス、知識と懐疑的パラドックスなどといったほかの分野のパラドックスにつながる仮定でも、ポパー学派の説明を適用すると、同様の結論になります。経験的に明らかな間違いにつながる仮定は、誤りであることが立証されます。その論点は真または偽のいずれかである、というような明白な真実とみなされていたことが、誤っているということになります。ポパー学派の説明によれば、パラドックスは、パラドックスにつながる仮定に対して決定的な結果をもたらします。

4・4　クーンによるパラドックスの解説

クーンにとって、パラドックスの存在は、不確かな証拠の存在が科学的仮説の却下につながらないのと同様、必ずしもパラドックスにつながる背景仮定が誤りであるとするものではありません。クーンは著書『科学革命の構造』の中で、科学の歴史は、ある科学的パラダイムの受容と却下の繰り返しで成り立っていると述べています。クーンは、パラダイムとは「科学者たちに問題と解決策を長い期間にわたって提供する、普遍的に認められた科学的成果である」（１９６２年）としています。パラダイムは科学者たちによって共有される論理的根拠を提供するだけでなく、研究を行う方法を規定する方法論的根拠も提供します。この例には、世界の中心に地球があるとしたプトレマイオスの見解、運動の法則を説明したニュートン力学、アルバート・アインシュタインの相対性理論、ダーウィンの自然淘汰理論、量子力学などが含まれます。

クーンは、「革命を経たあるパラダイムから別のパラダイムへの連続的移行は、成熟した科学の通常の発展パターンである」（１９６２年）と述べました。新しい理論が既存の理論を取り込むのではなく、新しい理論が革命を経て既存の理論に取って代わります。それぞれの革命は、新しいパラダイムが受容されたあとに出現する規範科学の時代から始まり、段階的に起こります。この期間中は、パラダイムは反論の対象にはなりません。その時代はある種「パズルを解く時代であり、パズルは、解決策における工夫やスキルを検証し得る特別なカテゴリーに属する問題」（出典：クーン　１９６２年）です。さらに、そのパラダイムにより提供された「受入れ可能な解決策の性質とそれらが獲得される段階の範囲を定める」（出典：クーン　１９６２年）ための規則があります。規範科学の時代は、「変則性」や反証が生じても、補助仮説の使用や、その変則性を無視する、または抑圧することにより処理されます。反証があれば理論は却下されるとするポパーとは対照的に、クーンは、明白な反証が必ずしも誤りであることの立証につながらないのが科学的事実であるとしています。たとえば、アインシュタインの理論が主流だった時代に、ある明白な実験上の誤りがミラーにより発見されましたが、これらの誤りは、アインシュタインの理論が誤っていることを示すものとはみなされませんでした。

しかし、問題が積み重なり、簡単に説明がつかなくなったり無視できなくなったりすると、その理論は危機を迎えます。その理論はもはや「パズル解きの伝統」を支持できなくなります（出典：クーン　1962年）。たとえば、「プトレマイオスの天文学はコペルニクスの発表前には物議をかもす状態になっており……（また）ガリレオの運動の研究に対する貢献は、スコラ学派の批評家たちによって発見されたアリストテレスの理論における問題に密接に関係して」いました（出典：クーン　1962年）。パラダイムが危機的な状況を迎える時代は、クーンによると「学問的に明らかに不安定」な状態にあると特徴づけられ、通常の科学のパズルを解決しようとする試みが繰り返し失敗した結果、始まります。

この危機的段階の次に来るのが、「競合する概念の急増、何でも試してみようとする意志、はっきりした不満の表明、哲学や基本をめぐる議論への依存」（出典：クーン　1962年）により特徴づけられる革命的科学の期間です。この期間には、ある一つのパラダイムが受容されるまで、さまざまなパラダイムが覇を競います。どのパラダイムが受容されるかを決定づける要因は多くの場合、科学の範疇を超えたものです。クーンによると、一つのパラダイムがほかのパラダイムに優先して選択される理由は、論理と実験だけではありません。パラダイムの選択過程で、科学者の人格や科学とは直接関係のない、見栄えのいいスキルが合理的な根拠よりも重要な役割を果たすことが多々あります。たとえば、ポール・ファイヤアーベントは、合理的な根拠をもとに理論が選択されるという見解に対し、徹底的に批判を加え、ガリレオが用いた「策略、レトリック、プロパガンダ」を例として示しています。ガリレオは、「攻撃的な解釈をほかの解釈、プロパガンダ、意味の曲解に置き換え、そして、常識の高度に理論的な部分を、古い習慣を新しい習慣にすげ替えるために使う」という戦術を用いました（出典：ファイヤアーベント　１９７５年）。

さらに、クーンは「観察の理論負荷性」と呼ばれるものが、競合するパラダイムの客観的、合理的評価の妨げになるとしました。クーンによれば、理論から独立した観察を表現する言語は存在しません。つまり、物理的世界を記述する理論の仮定がなければ、物理的世界を観察する方法もない、という考え方です。したがって、科学的理論を判断する完全に客観的な方法はありません。しかしクーンは、理論は予想される成功によって選択されると認めています。のちに登場した科学は、パズル解きにおいては、以前から存在した科学よりもまさっています。たとえば、アインシュタインの理論は、少なくとも、極めて大きな、あるいは極めて小さな物体の動きを説明する上で、ニュートンの理論よりもパズル解きにおいて優れていました。もちろん、そこから得られる成果が理論間の勝ち負けを判断する客観的尺度でしかないことには、不満に感じる人もいるかもしれません。

クーンによれば、二つの競合するパラダイムは、「既存の理論と自然との関係における変則事例を解決するために新しい理論が動員された場合、成功を収めた新しい理論は既存の理論から導き出された予測とは異なる予測をしなければならない。二つの理論に論理的に互いに矛盾がない場合は、この違いは起こりえない」(１９６２年)ため、互いに相容れないものです。この予測の説明は、新しい理論が古い理論を吸収すると主張する科学的経験主義者に対する重要な反論となっています。新しい理論が既存の理論から導き出された予測と異なる場合、新しい理論は既存の理論を吸収することはできないでしょう。クーンによると、競合する理論のほかの性質としては、同じ基準では測れないことが挙げられます。つまり、ある理論はほかの理論とは異なる物事の存在を仮定しているため、それぞれの理論で使用される用語を互いの理論で意味が通るように言い換えることができません。

したがって、パラドックスに関してクーンのような立場を取るということは、パラドックスは科学において大きな革命をもたらすものではなく、通常科学の時代にはわきに追いやられると考えるということです。パラドックスが論理外の根拠と結びついている場合にのみ、パラドックスはその理論において関心を集めます。こうした見方は、ほとんどのパラドックスが実際に大多数の分野でどのように扱われているかを反映したものです。ラッセルのパラドックスによって、フレーゲが自分自身のそれまでの見解が誤っていることに気づくきっかけになったと考えられているものの、一般的にそう多くの哲学者がある理論にパラドックスが生じることがその理論を却下する根拠になると考えているわけではありません。事実、ハゲ、知識、偶然といった曖昧な用語を用いた真実についての素朴概念が素朴理論から生じたものと私たちが考えている場合、これらの素朴理論がパラドックスの存在によって却下され得るということを認識するのは、特にそれに代わるほかの同様に直観的な概念がなければ難しいでしょう。

規範科学の時代に生じるパズル解きは、パラドックスを解決しようとする試みにも影響を及ぼします。パラドックスは、容易に置き換えられない真実や知識といった素朴概念についての私たちの基本的直観に疑問を呈するものであるため、これらの「パズル」に対する最初の反応が、素朴理論への信頼を取り戻すためのパラドックス解決の試みとなるのは自然なことです。基本的な素朴理論を規範科学に似たものと考えると、パラドックスを徹底的に排除しようとする解決策1から4は、パラドックスの通常の「解決」策とみなされます。

ほかの類似点はパラドックス解決の段階にあります。仮に解決策が、クーンが提唱する特定の段階から生じたものと考える場合、近い将来現れるさまざまな競合する論理は、論理の科学そのものがある種の革命的プロセスを経ていることを示します。しかし、どの論理もいまだにほかの論理と比べて優れているとはいえません。

4・5　ラカトシュによるパラドックスの解説

　ラカトシュにとっては、科学的客観性は、クーンが強調した理論選択における科学を超える要因の重要性を考慮した、ポパーの主張よりも洗練された形式の反証主義を通して保つことができます。ラカトシュによると、評価の対象となるのは理論ではなく研究プログラムです。研究プログラムは中核である否定的発見法と、防御帯である肯定的発見法から成ります。中核は「その提唱者の方法論上の決定によって『反証不可能』な」基本的理論体系です（1970年）。ラカトシュは、「プログラムの否定的発見法はこの『中核』にモーダストレンスを適用することを禁じるものである。代わりに私たちは、この中核の周囲に防御帯を形成する工夫、または『補助的仮説』さえも用いなければならず、これらに対してモーダストレンスを再適用しなければならない」（1970年）としています。この説明を図4（262ページ）で図式化します。

　中核は反証できないものではありますが、研究プログラムはそれが前進的であるか退行的であるかに基づき、客観的に全体として評価可能です。その防御帯が既存の変則性に対応し、新しい順当な予測を生成できる場合、それは前進的なプログラムです。そし

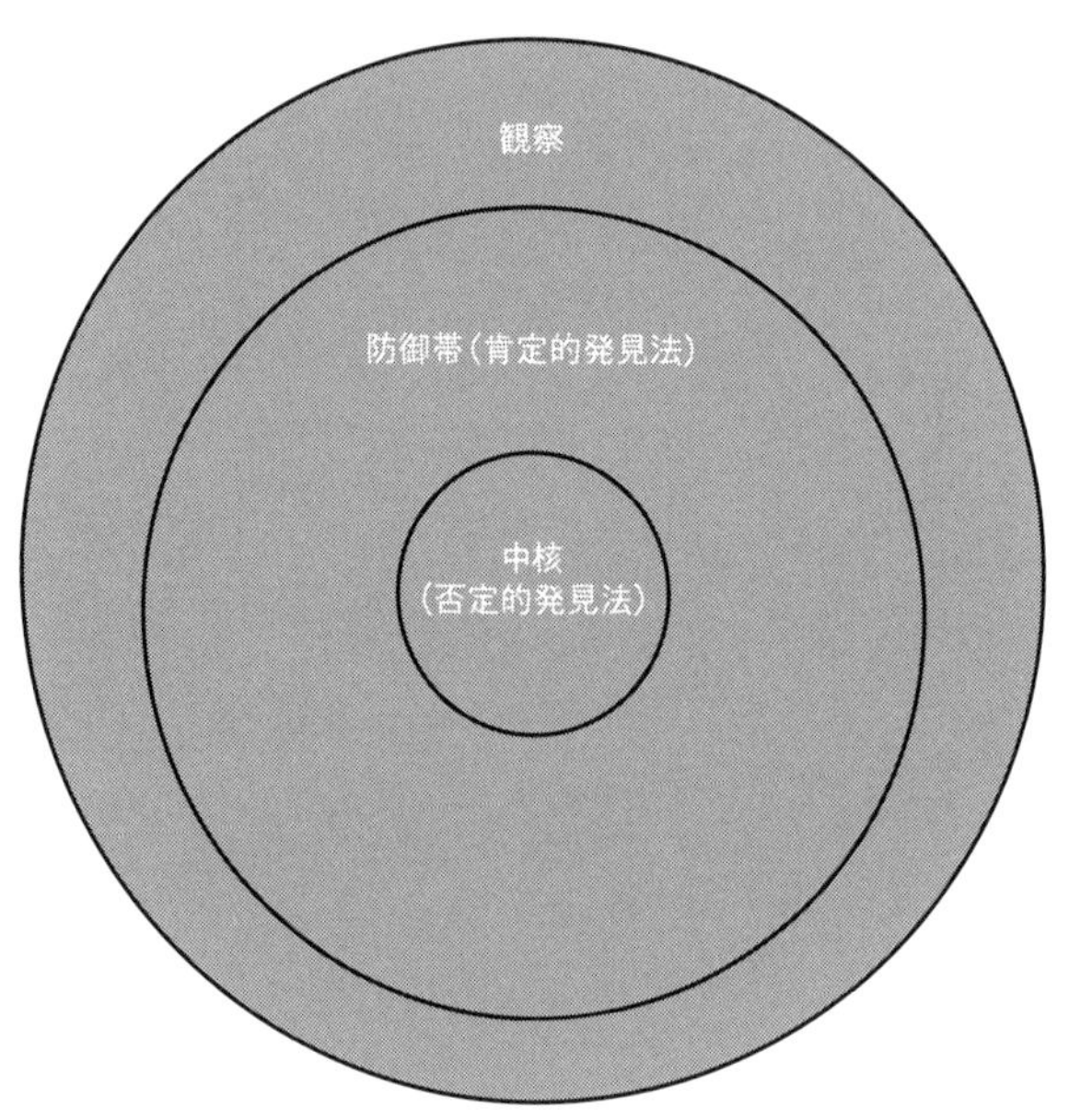

図4　ラカトシュの研究プログラム

て、そうしたプログラムが変則的なものに対処するにあたって、誤った予測を生成したり、新しい予測をまったく生成しない場合には退行的である、ということになります。ラカトシュによると前者の例は、マルクス主義であり、後者の例は、フロイトの精神分析です。

研究プログラムが前進的か退行的かを判断する

客観的根拠があるとしながらも、ラカトシュの見解はポパーの見解とは異なり、どのような「決定的な実験」も研究プログラムをくつがえすことはないとします。この見解は、先に述べたポパーのデュエム＝クワインのパラドックスへの対処においても異なります。このパラドックスは、反証となる証拠が完全に科学的仮説をくつがえすことはないという事実を示すものです。ラカトシュは、「洗練された反証主義は、科学的証拠のいかなる部分をも置き換えることが可能であるが、それはその置き換えがうまく新しい事実を予測できるような『前進的な方法』で置き換えられる場合に限られる」（１９７０年）と主張しました。その置き換えが新しくかつより優れた予測を生み出す限り、あらゆる仮説が置き換え可能なのです。

４・６　量子力学の例：ＥＰＲパラドックス

量子力学が１９３５年に、それまで主流の物理理論であった相対性理論に急速に取って代わったとき[5]、アインシュタインはボリス・ポドルスキーとネイサン・ローゼンとともに『物理的実在に関する量子力学的記述は完全なものだろうか？』（１９３５年）と題する論文を発表しました。この論文では、量子力学によって成された仮定が極めて直観に反する結果につながる事例を提示しました。この直観に反する結果を提示した議論は、「アインシュタイン＝ポドルスキー＝ローゼンのパラドックス」、または「ＥＰＲパラドックス」と呼ばれました。

その当時、すでに量子レベルで物体を計測する際、不確実性が存在することが知られていました。たとえば、半透鏡（つまり、反射膜が半分の鏡）に光線が当てられ、鏡に当たる光子（最小の光量）が一つにまで減少したとき、すべての光子はどこへ行くのかを予測した結果が不確かであることが知られていました。ある光子は反射され、ほかの光子は反射されず、またそれぞれの光子やすべての光子の軌跡を特定することもできません。これを説明するため、ハイゼンベルクの不確定性原理が用いられました。この原理によると、すべての物理的量は、共役性と呼ばれるものを持っています。この共役性を持つペアの例が、運動量と位置です。ハイゼンベルクは、粒子の位置を計測する場合、その運動量は確定できないとしました。また運動量を計測する場合には、位置が確定できません。ＥＰＲパラドックス（図５）は、二つのもつれ合った粒子Ａ、Ｂについ

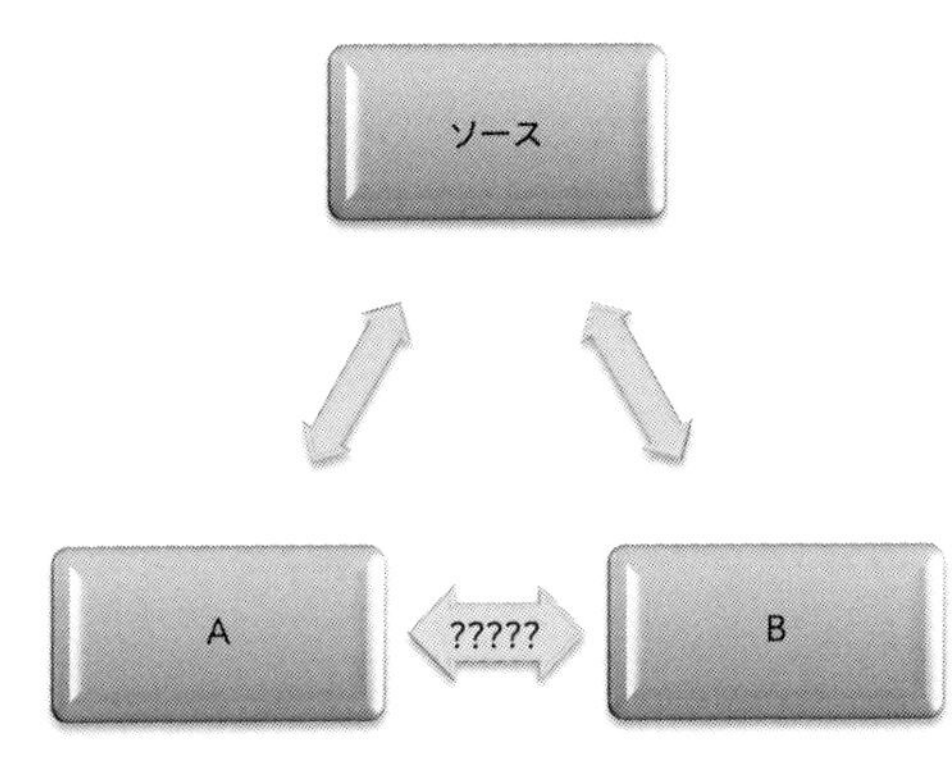

図5　EPR パラドックス

て、Aの片方の共役性、たとえば位置を計測する場合、一方のBの共役性である運動量が確定できないことを示すことで、この説明が不十分であることを示しています。さらにこれはAとBが互いに直接接触しない場合でも起こります。このことから、アインシュタインらは、その二つの粒子は、それらは分離されているが何らかの方法で相互作用している、またはすべての可能な結果に関する情報が粒子にすでにあり、いくつかの「隠れた変数」でコード化されていると推測しました。

このパラドックスの提唱者たちは、個別の粒子による距離を隔てた瞬間的な相互作用が極めて直観に反するというだけでなく、光の

㉓

EPR パラドックス

1. 量子力学の原理は、物理的現実の性質を説明する最も完全で最も正確な原理である。
2. 量子力学の原理により、二つの量が接触することなく瞬時に互いに影響を及ぼし合う可能性のあることが導き出される。

速度よりも速く移動するものはないとするアインシュタインの相対性理論に反するため、後者が正しいと信じていました。しかし、量子力学の標準的解釈であるコペンハーゲン解釈では、「隠れた変数」はないとし、物理システムにおける特性は計測前には生じないと仮定しました。したがって、二つのシステムに影響を与える隠れた変数が存在するとするのが、ＥＰＲに対する反応の一つではありますが、もう一つの反応は測定前に物体とその特性を有意義に言及できるという考えを拒否するものです。コペンハーゲン解釈では、局所実在論（計測にかかわりなく、物体や性質は確定した状態で存在するとする見解）と呼ばれるものを否定する中で、さらに、まだ計測されていない結果の確定性を有意味に言及できるという考えをも否定します。

ＥＰＲを標準的な形式にするために、「それぞれは正しく見えるものの、相互矛盾する命題の集合としてのパラドックス」の定義から始めたいと思います。

最初の論点は当時も、そして現在でも、ほとんどの物理学者によって真実であると信じられています。二つ目の論点は、アインシュタイン、ポドルスキー、ローゼンによって示されており、疑いの余地はないように映ります。これら二つの論点に対し、どのような折り合いをつけることができるでしょうか？　アインシュタインらは、最初の論点、特に量子力学が完全なものである、という見解を否定し、量子力学を物理学のパラダイムであるとみなすには、まだ多くの作業が必要であると認めることが、最も簡単な解決策だと考えました。実際、アインシュタインは、このために彼の残りの人生を費やしましたが、成功することはありませんでした(出典：ルース・ムーア　１９６６年)。しかし、大半の科学者たちは、ＥＰＲパラドックスの対処に、アインシュタインの方法を用いませんでした。代わりに、物理学者たちは、彼らが局所性の原理と呼ぶ、ある場所で起こった現象が、別の場所で起こることにただちに影響を与えることはないとする見解、および物体の特性は測定される前にすでに存在するとする局所実在論と呼ばれる見解に焦点を合わせました。たとえば、局所実在論では、物体は物体の位置が測定される前に既存の位置を持つと仮定します。局所性の原理や局所実在論はどちらも極めて直観的です。局所性の原則では、影響がある場合、それは瞬間的なものではないが、のちに起こるとしています。言い換えると、原因はその影響に先行すべきですが、その差はわずかであるということです。

この規則は因果関係に関する基本的な直観です。仮にAがBを引き起こしたなら、AはわずかであってもBより先に起きなければなりません。また局所実在論は、アインシュタインが述べた有名な「私が月を見ていなくても、月は存在する」という直観を体現したものです(出典：ジェレミー・バーンシュタイン　2007年)。

しかし、EPRを量子力学の中核となる考え方の反証とみなす代わりに、最終的に局所実在論(中心となる教義ではなく、研究プログラムの「防御帯」にある理論)に疑問が呈されました。コペンハーゲン解釈といった量子力学の特定の解釈では、これらは否定されるべきものでした。EPRとそれにどのように対処するのが最善かについての議論は、物理学者たちの間で現在も進行中です。量子力学は前進的または退行的研究プログラムのどちらとみなすべきなのでしょうか？　仮に予想における成功や実務的な応用が指標となるのであれば、量子力学は、宇宙における最小粒子の動きを予測する能力があり、トランジスタ、集積回路、レーザーなどの主要な応用例を生み出しているという意味で、いまだに前進的な研究プログラムであるといえます。

これまで見てきたように、ラカトシュの見解では、パラドックスは、ポパーの解説が示唆するような大きな影響はありません。パラドックスを引き起こす理論は誤りだと実証されません。パラドックスへの対応の中で、理論によって生み出された補助的仮説は、修正された仮説が新しく、より優れた予測につながる限り、置き換えが可能です。迂回する解決策でこれを確認することができます。

5　パラドックスへの解決策に対する科学的進歩理論からのモラル

仮にポパーの反証主義を是とすると、パラドックスは理論を誤りだと実証するものになります。クーンの相対主義と予測の成功への依存を受け入れれば、パラドックスは取るに足らないものとなるか、規範科学の時代における解決すべき「パズル」として扱われます。しかし、科学が危機に陥ったとき、パラドックスはさらに致命的なものとなり、さまざまな理論がパラドックスを解決または回避するための説明を提示しようと試みます。またラカトシュによる反証主義のバリエーションを受け入れると、新しい予測が順当に生成される場合、パラドックスは、研究プログラムの防御帯に変化をもたらすものになります。これらのパラドックスに対するそれぞれのアプローチは、解決策1から4によって完全に解決されるという見解に反する事例を提示しています。ポパーの反証主義では、パラドックスは単純に理論への反証となります。即時に決定的な解決ができないパラドックスの存在は、パラドックスが生じた背景にある素朴理論に誤りがあることを示します。パラドックスが回避されるべき場合、そうした素朴理論は否定されます。しかし、経験上の事実認識に基づいた理由があるから素朴理論が存在しているわけで、簡単に否定することはできません。クーンのような相対主義者にとって、パラドックスの解決策の歴史を調査すると、それらが部分的な成功しか収めていないことが確認できるため、パラドックスに解決策を提示しようとする理論が科学以前の段階にあるか、または新しいパラダイムとして何が選ばれるのかはっきりしないまま、進行中の革命の状態が起こっていることを示していることになります。ラカトシュの立場を取ると、科学の歴史と同様のやり方でパラドックスに対する解決策の歴史を扱うと、一般的に、解決策1から4を含む標準的な意味でのアプローチにおいて、パラドックスの解決策は、退行的研究プログラムであることを示していると結論づけるしかありません。

パラドックスの解決策をどのようなレンズを通して見ようとも、最も深淵なパラドックスに対する解決策に大きな進歩はないとするのが、最も合理的な結論になるでしょう。

結論

哲学者が哲学的パラドックスを研究する理由は数多くあります。パラドックスは、パラドックスを研究し、それを解決しようとする人々に対し、強固な、対立する直観に立ち向かうこと、直観がどのように誤解を招くのかを発見すること、私たちの通常の概念がどのように問題となるかを分析することを強います。さらに、パラドックスは、哲学的問題に対する曖昧な認識を超えて、さまざまな度合いで成功を収めている解決策を評価するために、パラドックスを理解し、解決しようとする冒険心を必要とします。また最も重要なのは、パラドックスの研究者は、皮肉にもパラドックスを発見することが、知識の退行ではなく、前進に結びつくことを知っています。ニールス・ボーアは科学者として「パラドックスとの出会いはなんとすばらしいことであろう。私たちは今、進歩を遂げられるという希望を手にしているのである」(出典：ルース・ムーア　1966年)と書いています。この本で出会ったパラドックスの現在の解決策は、ボーアの声明に見られる賢明な態度を示すものです。パラドックスの解決策が独創的で興味深いものであるだけでなく、ここにまとめられている体系的な理論はそれ自体が興味深く、科学、数学、政治、哲学のいずれにおいても、幅広い概念についての私たちの考え方に多くの進歩をもたらしてきました。進歩あるところにパラドックスがあり、進歩とパラドックスは互いに刺激を与え合っているのです。

用語集

誤った推論
推論における誤り。

演繹的議論
結論が前提から必然性をもって導き出される議論。

帰納的議論
結論が前提から高い確率をともなって導き出される議論。

議論
ある論点（結論）がほかの論点（前提）によって支持される推論の一部。

結論
前提によって支持される議論の中の論点。

健全性
演繹的議論はその前提が正しく、議論が有効な場合に健全である。

公理
証明を必要としない、真実と考えられている論点。

三段論法（論理式）
大概念、小概念、媒概念の三つの主な概念を用いる二つの前提を有する演繹的議論。大概念は結論の述語となる。小概念は結論の主語となる。媒概念は各前提に生じるが、結論ではない。たとえば、次の演繹的議論を考慮する。
1．すべての人間は死すべきものである。
2．ソクラテスは人間である。

３．ソクラテスは死すべきものである。
「死すべきもの」が大概念で、「人間」が媒概念で、「ソクラテス」が小概念である。すべての三段論法には大概念を含む大前提と、小概念を含む小前提がある。この場合（１）が大前提で（２）が小前提である。

主観確率
ある人が何かを信じる度合い。

前提
結論を裏づけるために提示される論点。

直観
真実に見えるもの、非推論的信念、ある特定の状況で、我々が言うであろうこと。

パラドックス
それぞれは正しく見える、互いに矛盾する命題の集合。正しそうに見える前提と、妥当に見える推論、そして明らかに誤りである、または逆説的な結論をともなう議論、正しそうに見える前提と明らかに妥当な推論から導き出された許容できない結論。

ファジー論理
古典的な二つの値ＴとＦを否定し、それらを単位区間に置き換えるタイプの論理。

有効性
演繹的議論はその前提が正しくその結論が誤っていることが不可能な場合に有効性がある。有効な演繹的議論では、前提は完全に結論を支持する。

論理
良い推論から悪い推論を区別するための手法や原則の論考。

注　釈

序章　パラドックスは問題をはらんでいる？

1. 禁煙マークのついた灰皿の例には前提や結論が含まれていないので、推論はそのパラドックスの中核を成すものではない、と異議を唱える人がいるかもしれません。これに対して私は、灰皿やボイルのフラスコなどのケースでは、これらの物に関係する「事実」が論点になり得るのであり、推論のいくつかをそこから構築することができる、と答えるでしょう。たとえば、灰皿のパラドックスは次のように書くことができます。（1）あなたは、喫煙をしないよう命ぜられている、（2）あなたは、喫煙する際にはこの灰皿を使うよう命ぜられている、（3）ゆえに、あなたは喫煙をするよう命ぜられているのであり（2より）、かつ喫煙しないよう命ぜられている（1より）。

第1章　パラドックスとその解決策を考える新しい方法

1. 確かに、これは、それほど深淵なパラドックスではありません。驚くべきことではあるものの、仮定をふまえると、結論に対して矛盾するものは何もないからです。
2. これは確かに、組み合わせの主観確率についての極めて単純化された説明ですが、ここでの目的にかなったものです。AとBが互いに依存しているケースを説明するためにこれを具体化する場合、AとBの組み合わせの確率は、Aの確率に、AをふまえたBの確率をかけたものになるべきです（すなわち、$P(A \& B) = P(A) \times P(B|A)$）。しかし、大多数のケースではAとBの単純なかけ算で十分です。
3. 有効性の定義については、用語集を参照してください。単純化すれば、ここでは有効な推論を「妥当な」推論と考えていただいて問題ありません。

第2章　パラドックスの解決策

1. 通常、もともとZFにはなかった別の公理（選択された公理）が追加され、その論理はZFCと略して呼ばれます。
2. 公理スキームは、その言語の部分論理式の用語の代用として一つ以上の変数を含むという点で公理とは異なります。
3. AとHには論理的な結果としてeがともなうと仮定されるものの、not-e（eは偽）が観察されます。さらに、AとHが真である場合にeは偽が観察される確率は0です。つまりP(not-e | A and H) = 0となります。Hには極めて高い確率、P (H) = 0.9が割り当てられている一方、Aには、Aではない場合よりわずかに高い事前確率、P(A) = 0.6しか割り当てられていません。また、HとAは統計的に独立していると仮定されています。つまり、Hの確率はAの確率に影響を及ぼすことはないし、その逆もまたしかりです。

   仮定された可能性に関しては、not-eが観察される確率は、Aが真でnot-H（Hが偽）が非常に低い数字と想定されることをふまえると、X（たとえば0.001）、すなわちP(not-e | A and not-H) = xとなります。一方not-A（Aではない）が真である場合、not-eが観察される可能性は50倍の可能性、50xであると想定されます。つまりP(not-e | not-A and not-H) = 50x および P (not-e | not-A and H) = 50xとなります。これらの数字をベイズの定理の式に当てはめます。

   P(H | not-e) = P(not-e | H) P(H)

   P(not-e)

   P(not-e) = P(not-e | H) P(H) + P(not-e | not-H) P(not-H)

   P(not-e | H) = P(not-e | A and H) P(A) + P(not-e | not-A and H) P(not-A)

   = 0 + 50x (0.4)

   = 20.6x

   P(not-e) = 20x (0.9) + 2.06x = 20.06x

   Hの事後確率は

   $$P(H \mid \text{not-e}) = \frac{20x\,(0.9)}{20.06x} = 0.897$$

Aの事後確率は

$P(A \mid \text{not-}e) = P(\text{not-}e \mid A)\ P(A)$

$P(\text{not-}e)$

$P(\text{not-}e \mid A) = P(\text{not-}e \mid A \text{ and } H)\ P(H) + P(\text{not-}e \mid A \text{ and not-}H)\ P(\text{not-}H)$

$= 0 + x\ (0.1)\ x\ 0.1x$

$$P(A \mid \text{not-}e) = \frac{0.06x}{20.06x} = 0.003$$

Hの確率はほとんど変わらない一方、Aの確率は大幅に下がります。

4. ここでは、ファジー論理における連言の真理値の決定法が、第1章での逆説性評価の議論における組み合わされた主観確率の決定に用いられた単純なかけ算とは違うことにお気づきかもしれません。ファジー論理によると、たとえば0.2といった低い真理値は、ほかの値、たとえば0.9と組み合わされた場合、組み合わされた真理値は0.2で、私たちが決定した主観確率0.18よりわずかに低い数値になります。しかし、0.4と0.5の場合では、ファジー論理による組み合わされた真理値は0.4になるものの、この二つを組み合わせた主観確率は、これらの値が信念の度合いで得られた場合0.2となり、二つの値の最低値をとる場合の半分未満の数値となります。わずかな不確実性に対しても信念の度合いを大幅に低くしたいため、この場合には、単純なかけ算の使用が理にかなっています。一方、真理度を扱う場合は、この方法は必要性がなく、望ましくありません。

第3章　パラドックスを見失ったのか？　パラドックスの解決策の成功（と失敗）

1. シファーの場合、よい解決策はパラドックスの欠陥部分を指摘し、なぜ、私たちがその誤りが許容可能なものだと誤って信じてしまったのかを説明します。
2. 無限集合の比較に関するパズルの議論は、たとえばザクセンのアルベルトが著書『*Questiones subtilissime in libros de cello et mundo*』(1492年)の中で提示しています。

3. 私は論理学の歴史学者ではありませんが、解決策の歴史に関心があります。近年の解決策に対し興味深い関連があり、これらの解決策は、パラドックスの解決策について一般化を引き出すための帰納的根拠を提供します。私が用いた主な文献は、ウィリアム・ニール、マーサ・ニールの著書(1962年)です。
4. スティーブン・リードはこれに関して、やや異なる、かなり完全な見解を持っています。
5. これらの理論は異なる種類の現象を扱うもので、厳密にいうと対立するものではありません。しかし、一つの理論がほかの理論より著名です。

参考文献

アリスター・マクドナルド　2011年　"Honestly, This Part of England Has the World's Biggest Liars." *Wall Street Journal*, November 25.

アリストテレス　紀元前350年　*Sophistical Refutations*. http://classics.mit.edu/Aristotle/sophist_refut.html.

アリストテレス　紀元前350年　*Physics*. http://classics.mit.edu/Aristotle/physics.html.

アルバート・アインシュタイン、ボリス・ポドルスキー、ネイサン・ローゼン　1935年　Can Quantum-Mechanical Description of Physical Reality Be Considered Complete? *Physical Review* 41:777. http://www.nat.vu.nl/~wimu/Pictures/EPR-paper.pdf.

アルフレッド・タルスキー　1944年　The Semantic Conception of Truth and the Foundations *of Semantics. Philosophy and Phenomenological Research* 4:341–375.

アルベルト（ザクセンの）1492年　Questiones Subtilissime in Libros de Celo et Mundo.http://echo.mpiwgberlin.mpg.de/ECHOdocuView?url=/permanent/library/0PUX1P29/index.meta&pn=1.

イマヌエル・カント　1969年　*Critique of Pure Reason*. Trans. Norman Kemp-Smith.New York: St. Martin's Press.

イムレ・ラカトシュ　1970年　Falsification and the Methodology of Scientific Research Programmes. In *Criticism and the Growth of Knowledge*, ed. Imre Lakatos and Alan Musgrave, 170–196. New York:

Cambridge University Press.

ウィリアム・ジェームズ　1906年/2008年　Pragmatism: A New Name for Some Old Ways of Thinking. Rockville, MD: Arc Manor.

ウィリアム・ニール、マーサ・ニール　1962年　*The Development of Logic*. New York:Oxford University Press.

キット・ファイン　1975年　*Vagueness*, Truth and Logic. *Synthese* 30:265–300.

ケントン・マキナ　1976年　Truth, Belief, and Vagueness. *Journal of PhilosophicalLogic* 5 (1): 47–78.

ジャン・ファン・ハイエノールト　1967年　*From Frege to Godel: A Source Book in Mathematical Logic*, 1879–1931. Cambridge, MA: Harvard University Press.

ジェレミー・バーンシュタイン　2007年　Einstein: An Exchange. *New York Review of Books*. http://www.nybooks.com/articles/archives/2007/aug/16/einstein-an-exchange/?pagination=false.

ジョン・カール・フリューゲル　1941年　"The Moral Paradox of Peace and War." Conway Memorial Lecture. London: Watts and Company.

ジョン・レスリー・マッキー　1973年　*Truth, Probability*, and Paradox. New York: Oxford University Press.

ジョン・ワトソン　1930年　Behaviourism. Chicago: University of Chicago Press.

スティーブン・シファー　1996年　Contextualist Solutions to

Skepticism. *Proceedings ofthe Aristotelian Society* 96:317–333.

スティーブン・シファー　1999年　Two Issues of Vagueness. *Monist 81* (2): 193–214.

スティーブン・シファー　2003年　*The Things We Mean*. New York: Oxford University Press.

スティーブン・リード　2002年　The Liar Paradox from John Buridan Back to Thomas Bradwardine. *Vivarium*. http://academia.edu/1353385/The_liar_paradox_from_John_Buridan_back_to_Thomas_Bradwardine.

ゼエヴ・モアズ　1990年　*Paradoxes of War*. Boston: Unwin Hyman.

ソール・クリプキ　1975年　Outlines of a Theory of Truth. *Journal of Philosophy* 72:690–716.

ダニエル・カーネマン　2011年　*Thinking, Fast and Slow*. New York: Farrar, Straus,and Giroux.

ティモシー・ウィリアムソン　1994年　*Vagueness*. New York: Routledge.

デビッド・ヒューム　1757年　Of the Standard of Taste. Ed. Jonathan Bennett, 7–19. http://www.earlymoderntexts.com/pdfbits/htaste.pdf.

デービス・フロイドとスヴェン・アルヴィドソン　1997年　*Intuition: The Inside Story*. New York: Routledge.

デズモンド・リー　1967年　*Zeno of Elea: A Text with Translation and Notes*. Amsterdam:Hakkert.

デボラ・マヨ　1997年　Duhem's Problem, the Bayesian Way, and Error Statistics:What's Belief Got to Do with It? *Philosophy of Science* 64:222–244.

トーマス・クーン　1962年　*The Structure of Scientific Revolutions*. Chicago: University of Chicago Press. http://www.f.waseda.jp/sidoli/Kuhn_Structure_of_Scientific_Revolutions.pdf.

ニコラス・レッシャー　2001年　*Paradoxes*: Their Roots, Range, and Resolution. Chicago:OpenCourt.

バス・ファン・フラーセン　1966年　Singular Terms, Truth-Value Gaps, and Free Logic. *Journal of Philosophy* 63 (17): 481–495.

バリー・オニール　1986年　International Escalation and the Dollar Cost Auction.*Journal of Conflict Resolution* 30:33–50.

ピエール・デュエム　1954年　Essays in the History and Philosophy of Science. Trans. P.Barker and R. Ariew. Indianapolis: Hackett.

プラトン　2005年　*Parmenides*. In The Collected Dialogues of Plato, ed. Edith Hamilton and Huntington Cairns, 920–996. Princeton: Princeton University Press.

ポール・ヴィンセント・スペード　1988年　*Lies, Language, and Logic in the Later Middle Ages*.London: Variorum.

ポール・ヴィンセント・スペード　2009年　Insolubles. In *Stanford Encyclopedia of Philosophy*.http://plato.stanford.edu/entries/insolubles/.

ポール・ファイヤアーベント　1975年　*Against Method*. New York: New Left Books.

マイケル・クラーク　2007年　*Paradoxes from A to Z*. New York: Routledge.

マイケル・ダメット　1975年　Wang's Paradox. *Synthese* 30:301–324.

マイケル・ローゼンバーグ　1971年　The Paradox of Enrichment. *Science* 171: 385–387.

マリオン・オサリバン　2008年　Acid Rain Reduces Methane Emissions from Rice Paddies. *Innovations Report*, August 7. http://www.innovations-report.de/html/berichte/umwelt_naturschutz/acid_rain_reduces_methane_emissions_rice_paddies_115639.html.

ラリー・ローダン　1977年　*Progress and Its Problems*. London: Routledge.

リチャード・ジェフリー　2004年　*Subjective Probability*. New York: Cambridge University Press.

リチャード・マーク・セインズブリー　2009年　*Paradoxes*. 3rd ed. Cambridge: Cambridge University Press.

リンダ・バーンズ　1991年　Vagueness: An Investigation into Natural Languages and the Sorites Paradox. Dordrecht: Kluwer.

ルース・ムーア　1966年　Niels Bohr: The Man, His Science, and the World They Changed. New York: Knopf.

レオナルド・タラン　1965年　Parmenides. Princeton: Princeton University Press.

ロバート・メイ　1972年　Limit Cycles in Predator-Prey Communities.

Science 177(492): 900–902.

ロヒト・パリク　1994年　Vagueness and Utility. Linguistics and Philosophy 17 (6):521–535.

関連資料

BBC. 2010. *Paradox*（テレビ番組）シーズン1.

Bell, J. 1964. On the Einstein Podolsky Rosen Paradox. *Physics* 1 (3): 195–200.

Chihara, Charles. 1979. The Semantic Paradoxes. Philosophical Review 88 (4): 590–618.

Hume, David. 1757. "Of the Standard of Taste." http://academic.evergreen. edu/curricular/IBES/files/taste_hume.pdf.

Jeffrey, Richard. 2004. *Subjective Probability*. New York: Cambridge University Press.

Mayo, Deborah. 1996. *Error and the Growth of Experimental Knowledge*. Chicago: University of Chicago Press.

McNeill, Daniel, and Paul Freiberger. 1993. *Fuzzy Logic*. New York: Simon and Schuster.

Salmon, Wesley. 2001. *Zeno's Paradoxes*. Indianapolis: Hackett.

Steinhart, Eric. 2009. *More Precisely: The Math You Need to Do Philosophy*. Toronto: Broadview Press.